Les *maux*
pour le dire...
simplement

Le décodage biologique
des malaises et maladies simplifié

Catalogage avant publication de Bibliothèque et Archives Canada

Couture, Suzanne, 1957-

    Les maux pour le dire... simplement

    (Collection Motivation et épanouissement personnel)
    Comprend des réf. bibliogr.
    ISBN 2-89225-602-X

    1. Médecine holistique. 2. Étiologie. 3. Étiopathie. 4. Esprit et corps. 5. Psycho-
biologie. I. Titre. II. Collection.

R733.C696 2005   613   C2005-941197-X

Adresse municipale:
Les éditions Un monde différent ltée
3905, Rue Isabelle, Bureau 101
Brossard (Québec), Canada J4Y 2R2
Tél.: (450) 656-2660
Téléc.: (450) 659-9328
Site Internet: *http://www.umd.ca*
Courriel: *info@umd.ca*

Adresse postale:
Les éditions Un monde différent ltée
C.P. 51546
Succ. Galeries Taschereau
Greenfield Park (Québec)
J4V 3N8

© Tous droits réservés, Suzanne Couture, 2005

©, Les éditions Un monde différent ltée, 2005
Pour l'édition en langue française

Dépôts légaux: 3e trimestre 2005
Bibliothèque nationale du Québec
Bibliothèque nationale du Canada
Bibliothèque nationale de France

Conception graphique de la couverture:
OLIVIER LASSER

Photocomposition et mise en pages:
COMPOSITION MONIKA, QUÉBEC

Typographie: Palatino 12/14

ISBN 2-89225-602-X

Nous reconnaissons l'aide financière du gouvernement du Canada par l'entremise du Programme d'aide au développement de l'industrie de l'édition pour nos activités d'édition (PADIÉ).

Gouvernement du Québec – Programme de crédit d'impôt pour l'édition de livres – Gestion SODEC.

Gouvernement du Québec – Programme d'aide à l'édition de la SODEC.

Imprimé au Canada

Suzanne Couture

Les maux pour le dire... simplement

LE DÉCODAGE BIOLOGIQUE DES MALAISES ET MALADIES SIMPLIFIÉ

UN MONDE DIFFÉRENT

Table des matières

Note de l'auteure

*T*oute mention dans ce livre de certaines notions basées sur la théorie de la biologie totale des êtres vivants sert à faciliter la compréhension des thèmes développés. Ces informations sur la biologie totale proviennent des études et recherches du Dr Claude Sabbah, dont le décodage biologique des maladies en constitue la principale application pratique.

Dans *Les maux pour le dire... simplement,* je traiterai entre autres sujets de l'intégration au quotidien des connaissances et apprentissages acquis au cours de diverses formations et de certaines expériences de vie, incluant le décodage biologique des maladies.

Remerciements

*E*n premier lieu, je tiens à exprimer toute ma reconnaissance à mes deux enfants qui, depuis le jour de leur naissance, sont pour moi une très grande source d'inspiration. Quand je suis devenue mère, j'ai compris que la vie était beaucoup plus que ce que je croyais jusque-là. Dès leur naissance, mes valeurs ont changé et j'ai bien dû admettre que ma responsabilité relativement à leur vie future serait essentielle.

Alors, il y a plus de vingt ans de cela, j'ai entrepris de suivre des sessions de formation et j'ai choisi certaines lectures pour essayer d'en savoir davantage sur les liens tissés entre les parents et leurs enfants. De plus, je leur suis reconnaissante de m'avoir encouragée à écrire et à faire publier ce livre. Chacun à leur façon, ils ont grandement contribué à la concrétisation de ce projet.

J'éprouve tout autant de gratitude envers mon père, ma mère, mon amie Jany ainsi que Claude, mon compagnon. Ils croient tous en moi plus que je ne le fais moi-même. Je sais que je peux compter sur leur coopération et leur soutien en tout temps.

Merci à Daniel, le père de mes enfants, qui a compris bien avant moi qui je suis et ce dont je suis capable.

Je souhaite remercier également tous ces gens qui ont traversé ma vie jusqu'à maintenant. Que ce soit pendant quelques instants ou pour de plus longues périodes, ils ont tous participé à cette découverte que j'ai fait de moi-même.

Merci encore à tous ceux qui, de près ou de loin, ont collaboré à la publication de ce livre.

SUZANNE COUTURE

Introduction

*D*ès l'été 1999, j'ai eu l'occasion de rencontrer plusieurs personnes pour des séances individuelles en réflexologie intégrale et par la suite en décodage biologique des maladies. Puis j'ai continué de me perfectionner dans cette matière si bien que, depuis 2002, j'ai la grande joie d'animer des conférences et des ateliers du mieux-être sous l'appellation : *Les maux pour le dire.*

Au cours de ces multiples consultations, j'ai pu constater à quel point la simplicité ne fait pas partie du langage des gens et encore moins de leur façon de penser et de vivre. À preuve, quand je les aide à verbaliser dans leurs mots et à découvrir autant d'où provient leur dérèglement physique ou psychologique que la solution à ce désordre, ils s'empressent souvent de me dire: «C'est impossible que ce soit aussi simple que cela!»

Eh oui, pour la plupart des gens, ce serait tellement plus simple si c'était plus compliqué, n'est-ce pas? Il faut dire qu'au moment d'avouer à quelqu'un la cause réelle d'un mal de tête ou la véritable raison sous-jacente à une fatigue ou une déprime, c'est plus «simple» d'affirmer éprouver des troubles de digestion. Et de dire par surcroît que cela vous donne sans doute ce mal de tête, c'est beaucoup plus commode et plus facile à faire croire aux autres.

Par contre, pour expliquer d'où provient le trouble digestif en question, il en va tout autrement, me direz-vous? Cela me rappelle une petite histoire amusante, justement sur ce sujet, et dont le personnage principal est ma mère, une femme que j'admire beaucoup. Je suis certaine qu'elle ne m'en voudra pas de vous la relater.

Un jour que j'étais en visite chez elle, je lui demande comment elle se sent et elle me répond: «Depuis hier soir j'ai une douleur à l'estomac et de la difficulté avec ma digestion. Nous avons joué aux cartes avec quelques-uns de nos couples d'amis. Et tu sais comment c'est, on grignote toujours un peu en jouant, je n'ai probablement pas bien digéré les amuse-gueules.» Je lui ai alors demandé ce qui avait été le plus difficile à digérer: les petites grignotines qu'elle a mangées ou les petites sottises qui ont été dites? Elle m'a regardé très sérieusement et tout à coup elle a éclaté de rire. «Ça va, j'ai compris», me dit-elle. Quelques instants plus tard son mal d'estomac était disparu. Voilà une des belles simplicités de la vie: d'admettre LA VÉRITÉ!

Il nous semble tellement plus simple de nous cacher la vérité et de faire semblant que les mots échangés ou entendus ne nous affectent pas. Pourtant, c'est la meilleure façon de nous compliquer l'existence puisque nous nous donnons alors des maux de ventre et nous nous attirons d'autres maux physiques ou psychologiques.

J'ai mis bien du temps à comprendre tout cela moi-même et je me surprends encore parfois à me compliquer la vie au lieu de rechercher avant tout la facilité. C'est pourquoi je souhaite partager avec vous ici en toute modestie des façons concrètes de se *simplifier* l'existence, autant pour les malaises que nous éprouvons que pour les situations de vie apparemment plus complexes.

En un seul instant

*D*epuis plusieurs années, je consigne régulièrement dans des cahiers mes réflexions sur ce que
je vis. J'y inscris donc des questions et les réponses qui
me sont données sont chaque fois très inspirantes.

Un court texte sur l'instant présent m'a été en
quelque sorte dicté un jour où je me questionnais à
savoir quelle était la pertinence du livre que je rédi-
geais alors. Je me demandais bien qui pourrait s'intéresser à un ouvrage écrit aussi simplement puisque je
ne suis ni médecin ni psychologue.

La plupart du temps, je relis mes réflexions et mes
réponses quelques jours plus tard seulement. C'est
ainsi que j'ai découvert ce texte que j'ai choisi de partager avec vous.

« *En un seul instant, je peux créer toute une vie, toute
une existence. Selon ce que je fais de cet instant, selon ce
que j'en pense, je détermine les instants futurs.*

« *Qu'est-ce que je choisis de faire de cet instant ? Une
pure joie, une inquiétude, une peur, une incertitude ?*

« *La personne qui écrit ce livre doute à chaque instant de ce qu'elle écrit. Elle juge chaque mot comme s'ils étaient insignifiants. Lisez-les avec vos yeux, vos humeurs, vos ressentis et choisissez parmi ces mots ceux qui vous amèneront là où vous choisissez d'aller.*

« *Quel instant choisissez-vous de vivre ? Un instant du passé où tout était sombre ? un instant de l'avenir que vous supposez être vrai et où vous ne voyez que catastrophe ? ou cet instant présent où vous tenez ce livre entre vos mains pour le consulter, pour apprendre sur vous ou sur cette personne qui a relevé le défi et choisi ce moment d'écriture, de partage et d'amour à chaque mot qu'elle a composé ?* »

Au cœur du bien-être

*E*n décembre 2000, à la fin de ma première fin de semaine de formation sur la découverte du décodage biologique des maladies, je suis sortie de cette expérience profondément ébranlée. En fait, cette approche a grandement contribué à transformer ma façon de penser et de voir la vie et la maladie, tout en bouleversant complètement mon existence.

Pourtant, depuis l'hiver 1997, je m'intéressais à la médecine non conventionnelle, mieux connue sous le nom de médecine douce. Je vivais alors une période difficile et je me sentais complètement vidée. Aussi, une de mes sœurs m'avait-elle conseillé de rencontrer notre tante J. qui pratiquait le reiki. J'ai donc décidé de me rendre tout simplement à une séance pour voir de quoi il s'agissait et j'ai été initiée à la pratique du reiki par une personne extraordinaire. J'ai appris ainsi qu'il était question d'une approche visant le rééquilibrage des centres énergétiques (chakras) par l'imposition des mains, en suivant les positions de base des sept chakras majeurs lors d'une séance, ou en traitant chaque centre individuellement.

Lors de cette première rencontre de reiki, j'ai connu l'expérience la plus inusitée de toute mon existence. Après cette seule séance, j'ai demandé à ma tante : «Penses-tu qu'on peut acquérir cette technique pour soi, pour s'aider soi-même? Et crois-tu que je pourrais apprendre à la pratiquer moi aussi?» *S'aider soi-même!* Je ne savais pas à ce moment-là quelle portée ces mots auraient sur mon existence. Elle m'a bien sûr confirmé qu'il était possible de s'aider soi-même à partir du reiki. J'ai donc choisi de suivre cette formation avec elle quelques semaines plus tard. Ensuite, j'ai commencé à vérifier les effets du reiki dans mon quotidien et, après quelques mois de pratique, à aider les gens qui me le demandaient.

Un an plus tard, après avoir complété la formation nécessaire, j'ai moi-même initié des personnes à cette approche parallèle de la santé. J'ai vite compris que chacune d'elles suivait cette formation pour aider ceux et celles de leur entourage qui étaient malades. Je leur ai suggéré d'utiliser et d'intégrer le reiki pour elles-mêmes avant de penser à aider les autres : «Quand vous aurez appris à vous servir du reiki pour vous guérir ou vous soulager de vos malaises, il vous sera plus facile encore d'aider les autres.»

En 1999, grâce aux encouragements d'une grande amie qui percevait en moi quelque chose que je ne voyais pas encore moi-même, j'ai choisi de mettre fin à mes activités de travailleuse autonome en infographie et secrétariat pour suivre une formation de praticienne en réflexologie intégrale à l'Institut québécois de réflexologie intégrale. Basée sur une ancienne pratique tibétaine, la réflexologie intégrale vise le rééquilibre des différents systèmes du corps humain par un doux massage des points réflexes répartis sur tout le corps, des pieds à la tête. Encore une fois, j'ai découvert une méthode fantastique pour aider les gens et « m'aider moi-même ». Naturellement, j'exerçais d'abord sur moi la technique apprise pour vérifier ce que chaque mouvement pouvait m'apporter comme bien-être et soulagement. Par la suite, je me sentais beaucoup plus à l'aise de l'expérimenter auprès des gens.

J'aime pratiquer le reiki autant que la réflexologie intégrale. La réflexologie intégrale peut sembler une approche plus concrète pour les gens, cependant il y avait une tout autre clientèle qui sollicitait mon aide pour régler leurs malaises physiques ou émotionnels. Et je sentais bien que quelque chose me manquait. Quelque chose d'encore plus tangible et concret : l'expression des émotions.

Souvent, pendant ou après une séance de reiki ou de réflexologie intégrale, les gens avaient besoin de se livrer, de confier leur mal-être intérieur attribuable à des situations ou des événements troublants. Ils manifestaient leurs émotions par des pleurs. Je me sentais alors démunie. Je voulais pouvoir les aider à donner libre cours à l'expression des sentiments qui les tiraillaient, mais d'une façon qui n'allait pas à l'encontre de l'éthique professionnelle de la naturothérapie.

Lorsque j'ai entendu parler de la biologie totale des êtres vivants et du décodage biologique des maladies, j'ai vite compris que c'était la réponse à ce que je recherchais. Enfin j'avais trouvé comment aider les gens à s'exprimer. En même temps, je me demandais si la pratique d'approches corporelles, comme la réflexologie, ou celles plus subtiles, comme le reiki, était encore nécessaire. Après quelques mois de pratique de décodage des malaises et maladies, j'ai cessé de m'inquiéter. Les gens ont souvent besoin de détente pour s'exprimer et toute approche thérapeutique corporelle ou subtile est excellente pour favoriser l'expression des émotions.

En réalité, j'avais enfin trouvé la méthode complémentaire pour travailler encore plus concrètement avec les gens. Toutefois, j'ai déchanté assez rapidement, car les gens avaient peur d'exprimer leurs émotions, leurs vraies émotions.

Blâmer quelqu'un d'autre pour nos malheurs ou critiquer, c'est simple. Trouver les vrais mots pour exprimer comment on se sent devient cependant plus difficile. Je peux l'affirmer puisque j'ai souvent tenté de formuler mes émotions réelles pour me libérer de certains malaises sans y arriver, jusqu'à ce jour de la Saint-Valentin, en février 2002. En effet, une pneumonie me menaçait. Je me suis dit qu'avec les outils à ma portée, je pourrais m'en sortir en quelques heures.

J'ai commencé par dire ce que je ressentais d'être affligée par une pneumonie (mes peurs, etc.), mais j'avais l'impression d'analyser mon malaise plutôt que d'exprimer mes émotions réelles. J'étais découragée. C'est alors que m'est venue l'idée d'utiliser une méthode toute simple visant à se centrer sur son cœur.

En intégrant cette technique de me centrer sur mon cœur, j'ai enfin réussi à pratiquer le décodage d'une façon simple, concrète et suffisamment efficace pour guérir de cette pneumonie en moins d'une journée. En me servant de mon «cœur» pour découvrir les émotions qui avaient entraîné cette pneumonie, j'ai réussi en même temps à lever le voile sur un autre événement qui avait eu lieu, douze ans plus tôt, à la Saint-Valentin, et où encore une fois je souffrais d'une pneumonie. Dans les deux cas, l'émotion qui m'a menée à la pneumonie était celle-ci : «Je ne suis plus capable de vivre comme ça!»

À ces deux périodes de ma vie, je traversais des moments difficiles. La première fois, j'étais mariée et je sentais que cette relation allait cesser, car je ne pouvais continuer à la vivre telle qu'elle était à l'époque. La deuxième fois, j'étais divorcée et je me sentais incapable de supporter la solitude, les responsabilités et les difficultés financières trop lourdes à porter seule encore longtemps. Dès que j'ai pris conscience de cela, j'ai su que je guérissais. C'EST AUSSI SIMPLE QUE CELA! Il faut s'avouer la VÉRITÉ. Cette vérité si difficile à dire, si difficile à «retrouver» parce que bien cachée au fond de soi, il est possible de la recouvrer en se centrant sur son cœur et en lui posant des questions.

La technique pour se centrer sur son cœur m'a été enseignée par Mme Pascaline Hode-Kayser au cours de la formation *Au cœur du bien-être*. Cette formation de quelques heures a transformé ma façon de comprendre et de ressentir l'amour, et a amélioré ma façon de vivre. La pratique de cette méthode ne demande que quelques instants. Si vous choisissez de la pratiquer et de l'utiliser dans votre quotidien, vous verrez jusqu'où cela peut vous mener. Il n'y a aucune limite aux réponses et aux solutions que le cœur peut nous fournir.

Mme Hode-Kayser a étudié cette approche au Heartmath Institute de Californie. Les mathématiques du cœur! À cet endroit, ils enseignent que le cœur répond plus vite que le cerveau. Pour obtenir une bonne réponse, pour trouver la solution la plus souhaitable, il est préférable de chercher dans son cœur plutôt que dans sa tête. À cet instant, j'ai pensé à cette phrase souvent entendue : «LA PREMIÈRE IDÉE EST LA MEILLEURE». C'est donc dire que la première idée ou réponse vient du cœur. Et, attention, la deuxième qui s'insinue très rapidement vient de la tête. Souvent, nous préférons la deuxième réponse parce qu'elle est plus logique.

Au premier cours nous avions à trouver, à partir de cette technique, comment RÉUSSIR SA VIE. C'est ce jour-là que j'ai pris conscience pour la première fois qu'il était plus important de réussir sa vie que de RÉUSSIR DANS LA VIE. Car si je réussis MA vie, je réussirai dans LA vie.

J'ai donc fait l'exercice en me posant la question et voici ce qui en est ressorti : AMOUR. Vous pouvez vous imaginer combien j'étais déçue. Comment allais-je réussir ma vie avec l'AMOUR ? Il me semblait que je ne gagnerais pas beaucoup d'argent de cette façon. Je ne voyais pas du tout où cela allait me mener.

Donc, la première réponse qui a surgi, soit celle du cœur était le mot : AMOUR. La deuxième réponse, provenant de l'intellect ou de l'ego, se formulait ainsi : TU NE GAGNERAS JAMAIS D'ARGENT AINSI !

Aujourd'hui, je peux vous le confirmer, la première idée ou réponse est la bonne. Aujourd'hui, je réussis MA vie en faisant un travail que j'ai choisi par AMOUR de moi et, par AMOUR pour les autres, je communique ma passion pour mon travail. Je réussis

MA vie et je réussis DANS LA VIE. Mon cœur avait raison!

Comme le disait Blaise Pascal : « Le cœur a ses raisons que la raison ne connaît point!» Vous l'avez certainement déjà entendu, n'est-ce pas? Ce n'est donc rien de très nouveau. Pourtant, il semble que peu d'entre nous ont intégré dans leur esprit la signification réelle de cette maxime.

INTÉGRER. Voilà un verbe important à retenir. Combien de lectures, de formations, d'ateliers et de conférences sur la croissance personnelle avez-vous fait ou auxquels avez-vous assisté au cours des dix dernières années? Et qu'avez-vous choisi d'intégrer dans les enseignements que vous avez reçus?

Certains confondent les mots INTÉGRATION et ÉVOLUTION. Ce dernier terme est souvent employé à tort. Des gens se croient plus évolués que d'autres parce qu'ils ont acquis plus de connaissances par la formation ou la lecture sur des sujets comme la spiritualité ou la santé parallèle. Pour ÉVOLUER, il faut INTÉGRER. Sans l'intégration de l'enseignement et des connaissances par l'expérimentation et l'apprentissage, c'est-à-dire la PRATIQUE, on ne peut parler d'ÉVOLUTION.

Chaque fois que vous pratiquerez la méthode pour se centrer sur son cœur, vous remarquerez que vous êtes dans l'INSTANT PRÉSENT, le seul instant qui existe. La seconde précédente n'existe déjà plus, la seconde suivante n'existe pas encore. La seconde présente prépare l'avenir. Qu'est-ce que je choisis de faire de cette seconde?

Je sais que vous avez déjà entendu et lu cela maintes fois. L'avez-vous vraiment INTÉGRÉ dans votre vie, dans votre quotidien? Savez-vous reconnaître cet instant où il n'existe aucun problème, où la paix et la sérénité font partie intégrante de vous?

Technique de base pour se centrer sur son cœur

Étape 1

Prendre trois grandes respirations pendant lesquelles vous formulez les énoncés suivants:

Inspirez profondément et retenez votre respiration en 4 temps.

Expirez et retenez votre respiration en 2 temps.

À la première expiration:
Je détends mon corps physique;

À la deuxième expiration:
Je calme mon mental;

À la troisième expiration:
Je calme et je libère mes pensées.

Étape 2

Je visualise un beau souvenir, un beau paysage, une belle image, quelque chose de beau, quelque chose qui me fait vibrer de joie.

Étape 3

J'amène ma conscience au niveau du cœur, en le visualisant entouré d'une belle lumière blanche, je le vois tout brillant de cette lumière. Je peux aussi sentir sa chaleur au centre de ma poitrine.

Étape 4

Je pose la question qui m'apportera la réponse ou la solution recherchée suivant la manière suggérée ici :

« Ici et maintenant, je demande une vision élargie à propos de cette situation (ou question).»

Je pose la question et j'attends quelques instants. La réponse peut se présenter sous diverses formes : des images, des paroles, une sensation, etc.

Étape 5

Que j'aie reçu une réponse ou non, je remercie mon cœur pour son aide.

Note

Une absence de réponse peut aussi être une réponse pour l'instant. Celle-ci viendra quelques heures ou quelques jours plus tard. Soyez attentif, soyez PRÉSENT !

Suggestions

Essayez comme première question quelque chose comme :

- Comment faire pour réussir ma vie ?
- Comment faire pour me trouver un nouvel emploi ? etc.

Quand vous posez des questions à votre cœur, évitez de poser des questions dont la réponse serait OUI ou NON.

Suggestion : enregistrer sur un magnétophone la marche à suivre pour la pratiquer plus facilement. Au bout de quelques jours, vous vous rendrez compte que vous l'exécutez machinalement, sans effort, en toute simplicité.

Vous pouvez également vous servir de cette technique pour vous aider à dormir les soirs où il y a plein d'idées qui fourmillent dans votre tête et qu'il vous est impossible de trouver le sommeil. Vous sentirez à quel point on devient calme lorsque l'on prend contact avec l'intérieur de soi.

En pratiquant régulièrement cette technique vous pourrez vous rendre compte que vos réponses, même si vous ne les obtenez pas tout de suite, vous parviendront sous diverses formes au cours des prochains jours. Il suffit d'être attentif, D'ÊTRE PRÉSENT, d'être conscient de chaque instant.

S'il vous paraît difficile au début de parvenir à bien sentir que vous êtes dans votre cœur, ne vous inquiétez pas et souvenez-vous que pour INTÉGRER, et donc ÉVOLUER, il faut PRATIQUER !

Le mieux-être au quotidien ou le décodage des malaises et maladies au jour le jour

Après plusieurs mois d'expérimentation de cette approche visant à se centrer sur son cœur pour favoriser l'expression du ressenti négatif en rapport avec une situation difficile ou un malaise – autant pour des personnes qui me consultaient que pour moi-même –, j'ai constaté des résultats positifs. À ce moment-là, j'ai compris que je ne pouvais garder pour moi seule cette méthode simple, efficace et concrète.

C'est ainsi qu'à l'été 2002, il est devenu clair pour moi qu'il me fallait « aider les gens à s'aider eux-mêmes. » Aussi, pour atteindre le plus de gens possible et leur transmettre cette approche, j'ai choisi de créer des ateliers où je pourrais, en toute simplicité, informer les gens de ce que j'avais vérifié à partir de mes différentes formations, lectures et expériences.

Tout comme vous, probablement, j'ai lu plusieurs livres et articles sur la spiritualité et les diverses approches parallèles sur la santé. Certains m'ont « captivée » plus que d'autres. Quand est venu le temps de créer les ateliers, j'ai relu ces livres, retenu les passages pertinents qui rejoignaient l'idée de base des ateliers que je voulais créer, et je me suis mise à intégrer dans mon quotidien les éléments que je trouvais intéressants.

Vous trouverez donc tout au long de ce livre les connaissances que j'ai INTÉGRÉES et expérimentées. Il ne s'agit donc pas d'un livre de biologie totale des êtres vivants ni d'un livre sur le décodage biologique des maladies. Ce livre relate et explique l'intégration de plusieurs formations et lectures qui, combinées ensemble, forme un tout, TOUT SIMPLEMENT.

Je souhaitais vous offrir des outils simples et efficaces et une façon concrète de les intégrer au quotidien. Je crois y avoir réussi puisque déjà plusieurs personnes utilisent ces outils et obtiennent d'excellents résultats. Des gens se sont libérés de symptômes reliés à des maladies telles que la sclérose en plaques, la fibromyalgie, les problèmes auditifs, le rhume, la grippe, et bien d'autres. Personnellement, je crois que chaque personne qui réussit par cette approche à se libérer de la grippe, d'un rhume ou d'une douleur au dos peut parvenir à se soulager et même guérir de dérèglements plus importants. Apprendre à exprimer ses émotions et à décrire les symptômes reliés aux malaises, voilà les outils de base de la réussite.

Les gens qui souhaitent apprendre à se servir de ces outils le font souvent pour aider une personne malade. Cependant, je persiste à dire qu'il est important d'apprendre à s'en servir pour soi-même dans un premier temps, car il devient plus simple par la suite d'aider les autres.

Les mots sont nos maux

*A*u cours de la formation en décodage biologique, j'ai appris que les maux faisaient écran aux non-dits, aux mots non exprimés ou encore que les mots pouvaient donner la direction à suivre pour la guérison. Malheureusement, ce n'était pas le sujet principal de la formation si bien que très peu de précisions ont été apportées sur cet aspect. Pourtant, ce que j'y avais appris avait suffi à piquer ma curiosité.

Dans cette formation, on enseignait également une notion importante que j'ai choisi de simplifier de la manière suivante :

C'est la pensée – soit la façon de penser et l'attitude par rapport aux événements et situations – qui provoque chez l'individu des ressentis positifs ou négatifs, c'est-à-dire des émotions, des stress émotionnels. Naturellement, ce sont les ressentis négatifs qui sont néfastes pour le bien-être. Ces derniers transmettent au cerveau des messages qui entraîneront éventuellement un dérèglement physique.

Pour être en santé, retrouver la santé ou tout simplement atteindre un mieux-être, il suffit donc de transformer sa façon de penser. Cependant, comment modifier une attitude ou une façon de penser, sans avoir préalablement pris conscience de ce qu'il faut changer?

À ce sujet, plusieurs enseignements prônent le langage « positif » et la pensée « positive ». D'autres livres suggèrent le pardon. Ces méthodes sont effectivement efficaces. Par contre, la plupart du temps elles n'ont aucun impact lorsque la personne qui pratique ces méthodes n'a pas vérifié auparavant ce que les événements ou situations vécues lui ont apporté comme détresse émotionnelle. Tant qu'une personne n'a pas exploré jusqu'au plus profond d'elle-même ce qui l'amène aujourd'hui à devoir pardonner ou ce qu'elle a à transformer en « pensée positive », très souvent les résultats obtenus ne sont pas satisfaisants.

C'est donc en prenant conscience des émotions profondes suscitées par une situation difficile, un événement désagréable, qu'il sera possible de découvrir quelles sont les attitudes et les formes de pensées à modifier.

Un cas précis

Une dame prétend que le comportement d'un de ses compagnons de travail est inacceptable. Elle affirme qu'il passe plus de temps à rire et à parler avec les autres qu'à travailler. Lorsqu'elle lui donne des consignes, il ne semble pas les prendre au sérieux et tarde souvent à les mettre en application. Elle est irritée par ce comportement. Elle déteste travailler avec lui et cherche la meilleure solution pour améliorer cette situation qui devient de plus en plus désagréable. Elle a l'impression d'être la seule à travailler. Elle est à bout de nerfs. «*Ça ne peut plus continuer comme ça*», se dit-elle.

Quelle est la façon de penser ou l'attitude de cette dame par rapport à son collègue de travail? Elle croit qu'il n'est pas sérieux et qu'il ne fait pas son travail adéquatement.

Quel est le ressenti de cette dame?

– «Je ne me sens pas comprise.»

– «Je ne me sens pas respectée.»

– «J'ai l'impression qu'il ne me prend pas au sérieux et qu'il se moque de moi.»

C'est ce que pense et ressent cette dame. Cependant, est-ce la réalité? La façon de penser d'une personne est souvent bien ancrée par de vieilles croyances inculquées par les générations précédentes. Cette dame a toujours cru au plus profond d'elle-même que le travail et le plaisir ne pouvaient aller de pair. Il faut être sérieux et rapide au travail. Il faut entrer dans ce moule pour être à la hauteur.

Lorsqu'elle a compris sa façon de penser, elle a admis qu'elle enviait cet homme d'avoir autant de plaisir à faire son travail. Elle a même remarqué qu'il était toujours de bonne humeur en exécutant ses tâches et qu'il avait toujours un bon mot ou un sourire pour chacun à chaque instant.

Cette prise de conscience lui a permis de changer son attitude. Elle a choisi de prendre plaisir à faire son travail et à le faire à un rythme acceptable, autant pour l'employeur que pour elle-même. Aussi, elle pose maintenant un regard différent sur le comportement de ses collègues de travail.

La CONSCIENCE... Penser, parler et agir en toute conscience! Voilà une autre notion à intégrer dans notre vie. Il est important de cesser de naviguer sur les flots de la vie de façon inconsciente. En devenant de plus en plus conscients, nous vivons aussi de plus en plus au **moment présent**. Lorsque nous devenons conscients de nos pensées, des mots que nous utilisons pour exprimer celles-ci et des actes que nous posons, nous pouvons faire des choix différents qui produiront des résultats de plus en plus agréables.

Il est temps de CHOISIR ce que nous voulons être et ne pas être. Il est temps de décider si nous continuons à vivre ou non avec tel ou tel malaise. Également, il est temps de déterminer de quelle façon RÉUSSIR sa vie (personnelle, affective, familiale, professionnelle, etc.), et ce, en TOUTE CONSCIENCE.

En conséquence, en devenant conscients des malaises ou maladies qui nous affectent, en cessant de *s'habituer* à la douleur, nous découvrons avec plus de facilité de quelle façon s'en départir. Il y a d'ailleurs plusieurs méthodes conventionnelles ou non qui nous sont offertes. À nous de CHOISIR!

La méthode toute simple que je propose peut sembler compliquée au départ. Elle vise à démasquer les conflits et les ressentis à partir du langage, des mots utilisés par chacun pour décrire et expliquer ce qui les affecte. C'est le décodage des maux. Les non-dits et les émotions non exprimées s'impriment à l'intérieur de chacun. Éventuellement, ils se transforment en malaises et dérèglements plus ou moins importants selon l'intensité du stress vécu.

C'est ainsi que les MOTS deviennent des MAUX. De là l'importance de prendre conscience de chaque mot exprimé, de chaque émotion et ressenti exprimés. À travers la description du malaise et des ressentis par rapport au malaise, les mots exprimés racontent l'histoire du malaise. De la même façon, ils permettront de découvrir la raison d'être de ce malaise.

J'ai CHOISI de vous faire part de mes propres «apprentissages» sur ce sujet. J'ose croire que de cette façon, vous aussi vous prendrez plaisir à CROIRE en vous et en vos connaissances personnelles par l'expérience et l'apprentissage de la vie.

Le pouvoir des mots sur le mieux-être

Les mots font partie de notre quotidien. Chaque jour, nous employons plus de mots qu'il n'en faut pour dire ce que nous voulons vraiment dire.

Utilisons-nous les mots correctement? Employons-nous réellement les mots qui conviennent? Nous nous servons des mots pour remplir les silences et pourtant, généralement, ils semblent vides de sens. Toutefois, «*à chaque instant, ils racontent notre histoire*». Je suis reconnaissante envers Laurette Fortier qui, en m'enseignant cette phrase toute simple, m'a confirmé que j'étais sur la bonne voie.

Les mots servent la plupart du temps à juger ou à critiquer, mais également à apprécier et à exprimer notre gratitude, mais trop souvent ils blessent. Et c'est notamment ces paroles qui meurtrissent qu'il nous faut reconsidérer pour recouvrer la santé ou aspirer à un mieux-être. Soyons conscients des mots qui nous déchirent ou qui peinent notre entourage. Dans quel contexte ces mots que nous employons nous affectent-ils ou blessent-ils les gens autour de nous ? Dès que nous retraçons leur histoire, que nous prenons conscience de leur importance dans notre vie et à quel point ils ont nui à notre bien-être, il devient alors primordial de changer ce vocabulaire dévastateur.

Les mots ne sont pas seulement les paroles que nous prononçons, ils reflètent aussi nos pensées. En effet, même si vous ne prononcez pas de mots désobligeants, mais que votre dialogue intérieur ne cesse de ressasser toutes sortes de pensées négatives accompagnées de paroles odieuses pour telle personne ou telle circonstance, les résultats seront les mêmes. Ainsi, que nous ayons réellement entendu des paroles offensantes et vécu effectivement des situations désagréables, ou que tout cela soit seulement le fruit de notre imagination, au bout du compte nous sommes affligés des mêmes tracas, malaises et maladies.

Car le cerveau ne fait malheureusement pas la différence entre une pensée ou ce dialogue intérieur néfaste que nous entretenons par rapport à un fait réel ou imaginaire. Pour le cerveau, dès que nous pensons à quelque chose, cela devient réel et il réagit exactement COMME SI c'était réel. D'où l'importance de prendre conscience des paroles que nous prononçons ou des pensées que nous nourrissons au tréfonds de nous.

À partir du moment où vous pensez que vous ne vous sentez pas à la hauteur pour exécuter une tâche, le cerveau enregistre que vous n'êtes pas à la hauteur pour exécuter la tâche, que ce soit vrai ou non. Ne pas être à la hauteur ou se sentir comme si on ne l'était pas, c'est de l'autodévalorisation dans les deux cas. Nous verrons d'ailleurs plus loin des exemples de cas concrets et nous prendrons conscience de quelle façon ce genre de pensée s'est manifesté et des répercussions sur leur corps.

À mon avis, il existe un lien évident entre le pouvoir de la pensée et le pouvoir des mots. En fait, ils sont interreliés. D'une part, il y a ces mots que nous prononçons « mentalement » par la pensée, et d'autre part, les mots que nous prononçons vraiment à voix haute. D'un côté comme de l'autre, l'impact sera le même, que les mots aient été prononcés verbalement ou seulement pensés.

Puisque je prends conscience de cette nouvelle notion, j'essaie de voir de quelle façon mes mots ou mes pensées influencent ma vie et j'en fais l'expérience à partir de scénarios divers que je répète différemment en ayant toujours à l'esprit cette donnée essentielle que je dois accorder mon vocabulaire à mes pensées pour obtenir tel résultat. Et en effet, la répétition me permet l'intégration de cette donnée et m'amène au même constat : mes mots et mes pensées sont liés. Ils exécutent simplement ce résultat que j'ai prononcé ou pensé mentalement, sans faire de distinction entre ce que j'ai dit ou pensé.

Dans cette optique, il faut être conscients des mots ou des pensées que nous entretenons dans notre esprit, et nous y parvenons par la pratique. Tout comme la répétition d'un mouvement dans la pratique d'une activité sportive permet d'accroître notre rendement plus rondement, la répétition d'une information nous permet de l'intégrer plus rapidement et nous serons alors enclins à la mettre en pratique plus facilement par la suite.

Tant et aussi longtemps qu'une information n'est pas intégrée, elle demeure ni plus ni moins qu'une simple information non utilisée ou non utilisable. Une donnée nouvelle doit faire son chemin jusqu'à ce qu'elle trouve une résonance à l'intérieur de nous. Lorsqu'il y a résonance, des « mémoires », des souvenirs et des informations déjà intégrés à d'autres moments de notre vie resurgissent peu à peu pour rendre possible l'utilisation de cette nouvelle connaissance d'une façon pratique. L'intégration de cette information par la pratique nous fera ajuster ou réajuster notre façon de penser ou de réagir aux événements et circonstances. Il est également plus facile d'expliquer et de transmettre cette même information lorsque nous la comprenons « consciemment » à travers l'expérimentation.

Comment est-ce possible ?

Au cours d'une formation ou à la lecture d'un livre, vous apprenez subitement que si vous avez aujourd'hui le rhume ou la grippe, c'est que vous avez vécu aujourd'hui ou hier une situation désagréable qui vous a stressé (une confusion ou un malentendu avec quelqu'un ou avec vous-même), et qu'il s'agit pour vous de faire le lien entre cette situation et les émotions ressenties à ce moment-là pour vous libérer de ce malaise.

En faisant cette découverte, la première réaction des gens est souvent la suivante :

– « Comment est-ce possible ? »
– « Faut-il quand même se faire vacciner contre la grippe ? »
– « C'est absurde ! La grippe est un virus ! »

Toutes ces questions et réflexions surgissent en fonction des références déjà intégrées par un individu donné. Pour intégrer cette nouvelle information, faites vous-même l'expérience. Ainsi, quand vous aurez le rhume ou que vous aurez attrapé le virus de la grippe, il vous suffira de vérifier si une situation désagréable est survenue quelques heures plus tôt, ou encore, si vous avez éprouvé un quelconque malaise le matin au réveil, le jour précédent.

En effet, ce type de désordre fonctionnel physique peut se programmer en un instant, c'est-à-dire aussitôt que vous ressentez des émotions que vous refoulez, ou que vous vous refusez à admettre à quel point tel événement vous a irrité. Il n'est donc pas nécessaire de chercher bien loin dans vos souvenirs. Avez-vous appris que votre conjoint s'absentait tout le week-end alors qu'il vous avait promis cette sortie que vous attendiez depuis longtemps ? Êtes-vous contrarié que votre employeur vous ait refusé une augmentation de salaire ?

Expérimentez si ce qui survient dans votre vie peut s'expliquer à partir de ces nouvelles données. Vous en vérifierez alors les incidences sur votre état de santé. Vous constaterez par le fait même si cette information vous convient ou non, s'il est envisageable pour vous d'y changer quelque chose ou non.

Exemple de décodage des maux

La grippe de Marielle

Lundi matin, 8 heures. Marielle est massothérapeute et elle a une journée bien remplie inscrite à son horaire. Elle se sent très mal et pense qu'elle devra peut-être annuler ses rendez-vous.

Je lui demande de me décrire les situations désagréables vécues pendant la fin de semaine. Elle me dit que ce n'était pas désagréable puisqu'elle a gardé ses petits-enfants qu'elle aime beaucoup.

Bien que cet événement soit agréable pour elle, en le racontant elle dévoile une partie du nœud de l'histoire qui l'affecte. Il s'est effectivement passé quelque chose de désagréable pendant qu'elle gardait ses petits-enfants, mais comme elle a occulté ou refoulé d'une certaine façon ce côté désagréable de la situation, elle a la grippe depuis le dimanche soir. Pour lui en faire prendre conscience, il suffit de lui faire décrire son malaise de façon à décoder, à travers le langage utilisé, ce qui a été l'élément déclencheur déplaisant.

Description du malaise

- «Je suis congestionnée.»

- «Ma gorge est douloureuse et toute irritée.»

- «Mon nez me chatouille.»

Dès que Marielle a dit: «Mon nez me chat...ouille», elle s'est souvenue de la situation pénible provoquée par son «chat».

Comme elle manquait d'espace pour coucher les enfants, elle a dû installer la plus jeune, âgée d'un an et demi, sur un matelas dans le salon. Marielle n'arrive pas à dormir car elle s'inquiète pour l'enfant à cause du chat qui n'est pas dégriffé et qui est parfois agressif. Elle se lève une première fois pour mettre le chat au sous-sol. Elle ne réussit toutefois pas à s'endormir, car le chat ne cesse de miauler. Elle est irritée de cette situation et ne voit qu'une solution : sortir le chat du sous-sol et dormir par terre avec le bébé pour éviter que le chat lui fasse du mal. Elle a donc passé une nuit infernale à cause de son CHAT.

Vers midi, Marielle m'appelle pour m'annoncer qu'une heure après sa consultation avec moi, elle n'éprouvait plus aucun malaise, qu'elle recevait ses clients sans problème et que tout allait bien.

Ceci est un exemple simple illustrant très bien la réalité du quotidien. Les maux nous apprennent qu'il s'est passé quelque chose de désagréable. Selon la gravité du malaise ou de la maladie, ils nous informent également de l'intensité des mots (émotions) non exprimés pendant la situation ou de l'événement déclencheur. Quand le stress et les émotions demeurent à l'intérieur, seuls les maux peuvent nous apprendre la vérité.

Le contrôle

Bien des gens croient que pour contrôler leurs émotions, il leur suffit de ne pas les extérioriser. Pour certains, contrôler ses émotions, c'est *faire comme si* cela ne les affectait pas en ne bronchant pas et en semblant insensibles devant une situation difficile. Pour d'autres, il s'agit simplement de ne pas pleurer. Tant et aussi longtemps que nous nous cachons la vérité, nous croyons tout contrôler.

Et pourtant, un jour ou l'autre, ces émotions confirmeront qu'elles contrôlaient la situation pendant tout ce temps. Elles se manifesteront par divers dérèglements physiques ou par des dépressions et un burnout. Évidemment, plusieurs personnes essaieront de dominer ces malaises en les ignorant ou en croyant qu'elles peuvent *vivre avec cela*. Elles affirmeront qu'elles n'ont pas le choix, que c'est la vie. D'autres diront que c'est ainsi : «Plus on vieillit, plus on est malades.» Encore une fois, elles croiront à tort qu'elles exercent un certain contrôle sur la situation.

Petites histoires de décodage

J'ai eu l'occasion de rencontrer plusieurs personnes de différentes régions du Québec au cours des dernières années. Les histoires de cas relatées dans ce livre sont réelles et je les crois susceptibles de vous aider dans votre quotidien. Si vous avez l'impression de reconnaître quelqu'un que vous connaissez dans l'une de ses histoires, c'est probablement que certaines émotions ou un stress précis prédisposent chacun de nous à vivre des malaises semblables. En effet, des ressentis spécifiques provoquent un impact à un endroit précis du cerveau qui est relié à une partie précise de notre corps, de notre biologie.

1. Ostéoporose

Une dame entre en contact avec moi au sujet de l'ostéoporose qui l'affecte depuis plusieurs années déjà. Elle dit que, même si elle a reçu ce diagnostic, elle n'en « sent » pas vraiment les manifestations dans son corps et qu'il lui est difficile de me les décrire. Je lui ai demandé alors de me décrire ce qu'est l'ostéoporose.

Elle me décrit de la façon suivante ce qui se passe avec des os atteints de ce mal.

–   Les os se désagrègent et se «tassent sur eux-mêmes».

–   Les vertèbres se désagrègent et «s'écrasent sur elles-mêmes».

«Les mots sont vos maux!» Vous pouvez lire cette phrase à plusieurs reprises dans le volume *Maîtrise du corps ou Unité retrouvée*[1]. *Alors, si les mots sont nos maux, que lisez-vous dans cette description de l'ostéoporose?*

La personne atteinte de cette maladie n'aurait-elle pas connu, dans plusieurs situations de sa vie, le drame de se désagréger devant une situation, de se tasser sur elle-même et de s'écraser? Ou encore de se sentir comme si elle devait *s'écraser* ou *se tasser* devant certaines situations où elle ne savait comment réagir? Peut-être aussi s'est-elle sentie écrasée par le poids d'une situation très difficile.

Quand les os sont atteints, la personne a probablement vécu des drames ou des situations émotionnelles où la dévalorisation personnelle a eu un très grave impact. Selon le docteur Claude Sabbah[2], il faut avoir vécu une dévalorisation profonde pour que la structure osseuse soit ainsi atteinte. Pour qu'une personne s'affaisse et s'écrase sur elle-même, il y a sans aucun

---

1.   *Maîtrise du corps ou Unité retrouvée*, tome II, Soria, éd Ariane, 247 p.

2.   Claude Sabbah est diplômé en médecine des universités de Marseille et de Paris. Depuis 1995, il propose des conférences et des formations à partir du résultat de ses recherches qu'il nomme la biologie totale des êtres vivants, décrite sous forme d'histoires, comparant les trois règnes: végétal, animal et humain.

doute une sérieuse dévalorisation personnelle qui a été vécue lors de situations difficiles ou désagréables.

Puisque les mots sont nos maux, en décrivant ce qu'était l'ostéoporose, cette personne venait d'exprimer comment elle se sentait par rapport à certaines situations conflictuelles affectant sa vie.

Je lui ai fait part de mes observations pour qu'elle prenne conscience de ce fait et vérifie elle-même les situations où elle vivait cette dévalorisation afin de lui permettre une première prise de conscience. Par la suite, je lui ai suggéré d'explorer son ressenti négatif profond concernant ces situations. Cette prise de conscience et l'expression de son ressenti lui serviront à reconnaître les situations provoquant chez elle de la dévalorisation.

Évidemment, il y a aussi la transformation de la pensée (ou de l'attitude) qui devient nécessaire. Il s'agit ici de la *pensée-attitude* qui a été programmée à un moment précis de son existence en rapport avec un certain type de situations (en lien avec la dévalorisation). Il lui faudra faire de nouveaux choix pour percevoir ces situations différemment et ne pas laisser évoluer cette dévalorisation profonde chaque fois que des situations lui feront éprouver le même type d'émotions.

2.   Douleur à l'épaule droite

En juillet 2002, par une belle nuit d'été où j'avais de l'insomnie, je me suis installée à l'ordinateur à trois heures du matin et je suis demeurée là, rivée sur ma tâche, jusque vers midi. J'avais consacré toutes ces heures à dactylographier le projet de trois ateliers de mieux-être sur l'intégration au quotidien de certains concepts de décodage des malaises et maladies, facilement applicables dans la vie de tous les jours. En somme un décodage biologique simplifié et à la portée de tous. Depuis un certain temps, je rêvais d'animer des ateliers et des conférences qui permettraient aux gens de s'aider eux-mêmes grâce à des outils simples et concrets. Avec l'apprentissage du décodage biologique et des autres formations que j'avais suivies au fil des années, je tenais enfin les éléments que je cherchais pour atteindre cet objectif.

Une fois mes ateliers conçus, il me fallait trouver le moyen de les faire connaître, de faire en sorte que les gens s'y intéressent. Cela me rendait nerveuse et excitée à la fois. J'avais peur que personne ne veuille assister à mes ateliers. J'ai donc téléphoné à plusieurs de mes connaissances pour leur demander d'assister à un premier atelier pour « tester mon produit ». J'ai réussi à réunir huit personnes qui ont accepté d'y participer. Évidemment, ce premier atelier était gratuit. Pourtant, même dans ce cas, il n'a pas été facile de réunir huit personnes.

Arrive le grand jour, le 8 août 2002, où j'animais dans la soirée mon tout premier atelier. J'étais terriblement nerveuse.

Au cours de l'après-midi, pour calmer ma nervosité, j'ai décidé d'aller faire un tour en vélo sur la piste cyclable qui se trouvait à quelques rues de chez moi. Je reviens à la maison environ une heure plus tard, toujours aussi nerveuse. Je décide alors d'installer le support à vélos que j'avais acheté dernièrement et qui dormait toujours dans sa boîte. Après quelques difficultés et plusieurs grognements, je constate que le support semble bien installé et qu'il est temps de tester le tout en y accrochant le vélo. Je dois lever le vélo très haut pour l'accrocher au support et, ce faisant, je ressens une très forte douleur à l'épaule droite et je lâche tout. J'ai tellement mal à l'épaule que les larmes me montent aux yeux.

Que vais-je faire avec cette forte douleur à l'épaule alors que je dois animer un atelier sur la façon de se guérir soi-même quelques heures plus tard ? Je suis découragée. Tout comme lorsque que j'étais enfant, je m'assois alors dans les escaliers pour réfléchir à tout ça. Je me dis alors que je pourrais bien faire moi-même ce que je souhaite transmettre dans les ateliers : me libérer de ma douleur !

Je me centre sur mon cœur, je respire et je commence à m'exprimer :

– « J'ai l'air fin ! »

– « Qu'est-ce que les gens vont penser ce soir en me voyant souffrir comme ça ? »

– « Ils ne pourront pas croire que ce je dis est efficace puisque je ne suis pas capable de me guérir moi-même. »

Et c'est là que la véritable émotion s'est manifestée :

– *« Pour qui te prends-tu, Suzanne Couture, pour croire que tu peux montrer aux autres ce qu'il faut faire pour s'aider ? »*

– *« Pour qui te prends-tu pour penser que tu as quelque chose à apprendre aux autres ? »*

–   « *Je ne me sens même pas capable de m'aider moi-même !* »

J'ai senti une grande chaleur m'envahir, enve-lopper mon épaule, et la douleur s'est atténuée tout doucement. Une dizaine de minutes plus tard, j'ai pu redescendre le vélo mal fixé, réajuster le support, et y installer de nouveau le vélo. Tout était parfait. Je me sentais bien et je n'éprouvais plus de douleur à l'épaule.

J'étais prête maintenant à animer ce premier ate-lier. De plus, j'avais un nouveau cas à présenter dans l'atelier : un cas de douleur à l'épaule droite ! Ce pre-mier atelier a été un succès et je continue depuis ce jour à animer des ateliers et des conférences régulièrement dans plusieurs municipalités.

Veuillez noter que je m'étais exprimée « à voix haute », et non dans ma tête. Puisque j'étais dehors et que je ne souhaitais pas que les passants ou voisins m'entendent, je chuchotais. Il faut EXPRIMER. Cela signifie qu'il faut expulser les mots hors de nous, tout au moins en les chuchotant.

Comme vous avez pu le constater, il s'agissait d'un cas de dévalorisation et, plus particulièrement, de dévalorisation de la performance. Pour plus de préci-sions, il s'agissait d'un cas de dévalorisation de ma propre performance en tant que conférencière et même de mes propres connaissances et capacités. Donc, *je me jugeais moi-même* incapable de mener à bien ce projet si primordial pour moi.

Une fois de plus, c'est la VÉRITÉ qui est impor-tante. Il est essentiel de trouver SA vérité. Il faut s'avouer à quel point telle situation ou tel événement nous affecte. *Les mots sont nos maux.* En me jugeant incapable de mener à bien un projet (les ateliers), je devenais également incapable de mener de main de maître ce projet d'installation d'un support à vélos pour auto à cause de cette douleur à l'épaule droite.

Comme on le voit, le manque de confiance en nous attire le doute et les malaises qui y sont rattachés selon les pensées que nous entretenons par rapport à ce que nous souhaitons faire ou réaliser.

Les malaises reliés à la dévalorisation peuvent toucher à peu près n'importe quelle partie du corps et affectent tout particulièrement la structure osseuse et les muscles. Il est à noter qu'on retrouve des ressentis de dévalorisation dans plusieurs autres types de dérèglements physiques. La fonction de la partie du corps affectée symbolise habituellement les émotions et ressentis reliés à l'événement ou la situation conflictuelle. Par exemple: des douleurs ou dérèglements affectant les pieds et les jambes.

En fait, les pieds et les jambes servent au mouvement de la marche, à aller de l'avant, à se tenir debout, à fuir, etc. Les situations conflictuelles associées aux pieds et aux jambes seront également en relation avec ces mouvements (de façon symbolique autant que réelle): marcher, aller de l'avant, se tenir debout, fuir, etc., ou à être incapable de marcher, d'aller de l'avant, de se tenir debout, de fuir, etc.

3.   Fracture du pied

Mme X occupe un poste de direction dans une grosse entreprise de la région de Montréal. Elle est à cet endroit depuis plus de trente ans. Quelques semaines avant ses vacances, son adjointe fait un burnout, et il est impossible de former quelqu'un d'autre en si peu de temps pour effectuer les deux tâches pendant ses vacances. Le directeur de l'entreprise annule et reporte les deux semaines de vacances de Mme X. Elle se rend donc au travail le jour où elle aurait pourtant dû commencer ses vacances si son adjointe n'avait pas souffert du syndrome d'épuisement professionnel et n'avait pas été inapte à la remplacer.

En traversant le stationnement ce matin-là, elle trébuche sur un bloc de ciment installé justement pour délimiter les espaces disponibles. Ce bloc de ciment est toutefois là depuis belle lurette. Depuis des années, elle l'enjambe ou fait le tour. Pourtant, ce matin-là, elle bute contre lui et se fracture le pied.

L'année suivante, à la même époque, un surplus de travail l'empêche de prendre ses vacances à la date prévue. Elle doit encore une fois retarder ses vacances de quelques jours. Le jour où elle aurait dû commencer ses vacances, elle trébuche sur les escaliers qui mènent à son bureau et se blesse au même pied que l'année précédente.

Que voyez-vous dans ces deux événements?

Dévalorisation

Après trente ans et plus de bons et loyaux services, elle a l'impression qu'elle ne mérite pas de jouir de ses vacances à la date souhaitée. Elle ne se sent pas suffisamment appréciée, ou encore «c'est comme si elle n'était pas assez importante» pour partir en vacances au moment prévu.

Bloquée dans le mouvement

Elle a subi deux blessures au même pied à pareille date, mais à une année d'intervalle, car elle a été bloquée chaque fois dans son mouvement de « partir en vacances ». Les circonstances ont fait qu'on l'a empêchée de partir, d'aller où elle le souhaitait ce jour-là. Symboliquement, elle a été retenue à son travail malgré elle, comme si elle avait un boulet attaché au pied.

Comment aurait-elle pu s'éviter ces deux accidents et blessures ? EN EXPRIMANT ce qui l'affectait vraiment par rapport à ses vacances qu'elle ne pouvait prendre au moment où elle le souhaitait.

Sans doute a-t-elle exprimé quelques émotions qui l'habitaient à des parents ou des amis. Chose certaine, elle n'a sûrement pas pu s'avouer à haute voix la VRAIE vérité, c'est-à-dire à quel point elle se sentait dévalorisée, peu importante, déconsidérée, comme si elle ne méritait pas de prendre ses vacances au moment où elle le souhaitait !

Il n'est pas nécessaire d'exprimer à qui que ce soit notre malaise profond, surtout si nous craignons de ne pas être écoutés comme nous le souhaiterions. Il s'agit tout simplement de s'adresser à soi-même. Nous sommes les principaux intéressés par ces émotions qui nous drainent et nous font vivre des malaises physiques non souhaités. N'oubliez pas qu'il est préférable d'exprimer à haute voix ce que nous ressentons, tout au moins en chuchotant, plutôt que de maugréer en silence.

Les mots sont nos maux. Nous avons à choisir entre EXPRIMER nos MOTS (émotions) ou EXPRIMER nos MAUX? «Mieux vaut prévenir que guérir», dit-on! Exprimer nos mots semble plus simple et est certainement moins douloureux, n'est-ce pas?

4. Douleur au dos

Lors d'un atelier, au cours d'un exercice d'expression du ressenti, j'ai surpris un échange entre deux participants. Une dame exprimait son ressenti par rapport à un mal de dos (vers le bas du dos) qui l'affectait depuis plusieurs semaines. Pendant l'exercice la dame en était arrivée à admettre que son mal de dos était relié à ce qu'elle vivait par rapport à son travail sans être vraiment capable d'exprimer son ressenti. C'est là que je suis arrivée près d'eux et que j'ai entendu l'autre participant lui demander:

«Est-ce que vous percevez un bon salaire pour votre travail?»

La réponse que j'ai entendue à ce moment-là était celle-ci:

«Oh! oui! Un TRÈS bon salaire!»

L'intonation qu'elle a employée en réponse à cette question m'a fait comprendre que l'argent était un des problèmes reliés à son mal de dos. C'est à ce moment-là que je suis intervenue pour provoquer chez elle un stress émotionnel sérieux de façon à lui faire reconnaître son ressenti.

«Est-ce que vous méritez le salaire que vous recevez?»

Elle m'a regardée sans comprendre la bouche grande ouverte, comme si elle était insultée. Quelques instants plus tard, elle pleurait. «Je ne suis pas certaine de mériter ce salaire-là. Tout ce que je sais c'est que j'en ai besoin. Souvent je trouve que je gagne trop pour occuper un emploi pour lequel je me sens parfois inutile. J'ai besoin de cet argent, autrement je quitterais cet emploi tout de suite».

Il s'agissait d'un emploi contractuel et il lui restait encore quelques mois de travail à effectuer pour respecter ses engagements envers cet employeur temporaire. Il lui était toutefois difficile de se rendre à son travail alors qu'elle était persuadée de ne pas être à la hauteur d'une telle rémunération, d'autant plus qu'elle n'appréciait pas cet emploi.

Comme elle avait besoin de l'argent que lui fournissait ce poste, et que de le quitter n'était pas la solution qui lui convenait à ce moment-là, je lui ai suggéré de «se centrer sur son cœur» pendant quelques instants. Je lui ai proposé d'aller vérifier au plus profond d'elle-même comment elle pourrait se libérer de son mal de dos tout en conservant cet emploi.

À peine quelques minutes plus tard, elle m'a regardée en souriant et voici ce qu'elle a répondu :

«À partir de maintenant, je vais me rendre à mon travail en étant reconnaissante de cet argent qu'il me procure, et dont j'ai besoin, comme si c'était un cadeau que je recevais chaque jour. Je vais changer mon attitude, et tout ira bien.»

Son mal de dos est disparu aussitôt. Elle a senti une grande bouffée de chaleur et m'a regardée toute surprise. «C'est disparu. La douleur est partie. Je me sens toute bizarre.»

De nouveau, il suffit de s'avouer la vérité. Comme il s'agissait d'un emploi temporaire, il était possible pour elle de trouver une solution en attendant la fin de ce contrat. Si cet emploi avait été un emploi permanent, sa réponse aurait pu être tout autre.

5. Douleur au genou

Je sais pertinemment que les douleurs aux genoux sont reliées à des obligations, à l'obligation entre autres de se plier à certaines exigences, ou encore d'être incapable de s'y plier, ou de refuser de se plier à ces exigences. Et il est intéressant de voir de quelles façons cela se traduit dans différents contextes.

Il y a quelques années, lors d'un voyage à l'étranger, mon compagnon s'est plaint de douleurs à un genou. Comme il est très actif, il a toujours besoin de bouger, aussi ne manquait-il aucune occasion de faire les activités proposées à l'hôtel où nous logions.

Il s'inscrivait donc aux parties et tournois de volley-ball. Par contre, il en revenait avec des douleurs à un genou. Naturellement, je ne pouvais pas laisser passer l'occasion de vérifier comment cela lui était arrivé.

D'emblée il rejetait la faute sur une vieille blessure de sa jeunesse qui revenait de temps en temps. En le faisant parler plus longuement du déroulement des parties et du tournoi, il devenait évident qu'il avait connu des désagréments au niveau de la *performance*, car il se sentait incapable d'exécuter les prouesses attendues par les autres participants qui voulaient GAGNER et qui n'acceptaient aucune erreur. De plus, il lui fallait se plier aux «exigences» du capitaine de l'équipe qui jouait comme s'il allait gagner un somme d'argent importante en remportant la partie ou le tournoi.

Mon compagnon voulait *performer* et, plus il faisait pression sur lui-même, moins il vivait dans l'instant présent. Alors, il commettait des erreurs et provoquait des accidents où il se blessait en tombant. Lorsqu'il a pris conscience de toutes ces émotions qui lui avaient enlevé du plaisir à jouer et qui l'avaient amené à se faire mal au genou, le mal de genou est disparu.

Habituellement, la plupart des cas de douleurs aux genoux sont reliés à des ressentis d'obligation :

• être obligé de se **plier** à certaines exigences («si tu fais cela, je te donnerai ceci»). Souvent les douleurs aux genoux sont plus pénibles lorsqu'on accepte de faire ce qui est demandé.

• se sentir obligé de **se mettre à genoux** devant quelqu'un pour obtenir quelque chose (être obligé de demander pour obtenir une augmentation de salaire, etc.). La personne éprouvera plus de douleur lorsqu'elle devra s'agenouiller pour effectuer des tâches. Exemple : laver le plancher.

• ne pas vouloir se **plier** à certaines exigences («je ne changerai pas d'avis, je ne me soumettrai pas»). La douleur sera plus présente lorsqu'on devra plier les genoux pour effectuer des mouvements. Exemples : monter et descendre les escaliers, gravir une colline, courir, etc.

- se sentir obligé de taire ses besoins pour éviter tout conflit entre **JE** et **NOUS**. Différents malaises aux genoux se présenteront selon s'il faut plier, ne pas plier, se mettre à genoux, etc.

6. Douleur au coude jusque dans l'avant-bras ou épicondylite

Dans mes ateliers, je transmets aux participants le résultat de mes expérimentations sur le décodage du langage pour les amener à «s'écouter parler», pour ainsi mieux comprendre les raisons pour lesquelles ils sont affectés par tel ou tel malaise. Au cours d'un de ces ateliers, il y avait cette dame qui avait mal au coude gauche. L'exercice de décodage s'est avéré très instructif pour les autres participants lorsqu'elle nous a décrit son malaise. Nous avons tous beaucoup ri et dédramatisé les raisons pour lesquelles nous pouvons éprouver ce genre de malaise.

Pour aider son conjoint dans l'entreprise familiale, cette dame devait actionner certains mécanismes et faire un mouvement à répétition avec un objet lourd. Un jour, elle devint incapable d'exécuter cette tâche à cause d'une épicondylite (tennis elbow). Le plus amusant c'est lorsqu'elle nous a dit que ce mal de coude était le «bienvenu» en quelque sorte, car depuis elle n'avait plus à accomplir cette corvée qu'elle détestait. «Maintenant, ce sont mes fils qui s'en occupent et ça me convient très bien.»

Grâce à cette expérience et sa façon de raconter son histoire, cette dame venait d'expliquer incontestablement aux participants d'une façon toute simple les principes suivants:

- La maladie est la solution parfaite du cerveau pour notre survie biologique.
- La maladie ou le malaise que nous éprouvons est la représentation exacte des émotions (stress) qui nous ont amené à ce malaise (ou maladie).

Somme toute, son épicondylite la servait bien puisqu'elle n'avait plus à s'acquitter de cette besogne trop difficile pour elle. Chaque fois qu'elle devait s'y plier, elle avait peur de ne pas y parvenir. Il y avait une question de vitesse et de synchronisme dans le mouvement, etc. De plus, l'objet qu'elle devait manipuler était lourd et elle devait forcer tout le temps du coude au poignet.

Depuis un certain temps, elle demandait qu'on installe un système qui serait plus adéquat et plus performant. Rien n'avait été fait pour améliorer la situation. D'une certaine façon, elle en voulait à son conjoint de ne pas l'écouter et de ne pas faire attention à elle. Plus elle racontait son histoire, et plus elle nous disait comment elle se sentait par rapport à ce qui se passait, plus la douleur s'envolait. Elle l'a constaté tout à coup et nous l'a annoncé, toute surprise elle-même de ce qui lui arrivait. En même temps, cela l'embêtait un peu car, si son coude allait mieux, elle devrait donc recommencer à faire cette corvée qui lui était si désagréable.

Voilà une des raisons pour lesquelles nos malaises perdurent. « L'inconvénient » dans le fait de guérir, c'est d'être obligé parfois de retourner au travail même si cela nous déplaît, ou d'être obligé de se retrouver dans la même situation qu'auparavant. C'est là qu'intervient la recherche de solutions. Pour elle, il devenait important de ne plus avoir mal au coude et de ne plus avoir à faire cette tâche.

Dans un premier temps, je lui ai suggéré de vérifier dans son cœur, les émotions (stress) que cette situation lui faisait vivre, autant par rapport à la tâche que par rapport au comportement de son conjoint dans son refus de changer de méthode de travail. De cette façon, lorsqu'elle dirait à son mari qu'elle ne désirait plus faire ce travail, elle aurait des arguments différents à lui soumettre. Au lieu de lui dire qu'elle le trouvait odieux d'agir ainsi, qu'il n'était *pas correct* avec elle, elle pourrait lui dire à quel point elle se sentait mal dans cette condition, de quelle façon cela l'affectait, etc. Aussi, suivant ses propres choix, elle pourrait décider tout simplement de ne plus effectuer cette tâche.

C'est à la personne concernée par le malaise que revient de trouver la solution idéale pour recouvrer la santé. C'est elle qui doit trouver le moyen qui lui convient pour surmonter le malaise et la situation.

Les exemples précédents démontrent que la personne qui vit du stress (émotions) par rapport à une situation trouvera elle-même et «en elle-même» les solutions qui lui conviendront le mieux. Les conseils et suggestions venant d'autres personnes correspondent souvent davantage à leur propre vécu en fonction de leur histoire personnelle.

Souvent les gens aimeraient que je leur dise quoi faire et comment le faire. En répondant à leur demande, je ne ferais que leur fournir les solutions qui me plairaient le mieux, à moi, dans une semblable situation. Mon histoire est différente et mes solutions également. Donc, je ne rendrais pas service à la personne en question.

La prise de conscience qui se fait en **entendant réellement** les mots exprimés est beaucoup plus valable. Chaque fois que la dame affectée par l'épicondylite disait quelque chose qu'elle ne semblait pas entendre, je le répétais à haute voix. De cette façon, elle **entendait** vraiment ce qu'elle expérimentait à travers son histoire.

En disant qu'elle n'était plus capable de faire tel ou tel mouvement avec son coude douloureux, elle nous avouait qu'elle n'était plus capable d'accomplir cette tâche qu'elle trouvait ardue et qu'elle ne savait plus comment s'en sortir. La douleur au coude l'a sauvée temporairement en attendant qu'elle trouve une meilleure solution.

Les ateliers de groupe sont une excellente source d'information et de formation. Chaque personne exprime son ressenti par rapport à sa douleur, et elle effectue le décodage de son langage avec l'encadrement nécessaire. Cela permet une vision nouvelle et simplifiée du décodage de la maladie. À partir des connaissances acquises au cours de plusieurs formations – dont le décodage biologique –, le décodage par le langage est devenu pour moi l'outil de travail par excellence. Même en connaissant les « clés » pour décoder, je découvre de jour en jour à quel point l'intonation dans l'expression des émotions et divers éléments qui amènent une personne à éprouver certains malaises et symptômes sont empreints d'une grande subtilité.

Par le langage, une personne qui décrit banalement son malaise, raconte bien plus qu'elle ne le croit.

Son inconscient nous relate, sous le mode de la conversation, de grandes vérités rattachées à son mal. Je ne cherche pas alors à analyser ou décrypter les messages enfouis dans le langage. Je reprends tout simplement les paroles exprimées par la personne, en lui demandant ce que cela signifie pour elle, pour ainsi lui faire découvrir ce qu'elle cherche à exprimer par ses paroles.

Dans les prochains exemples, vous serez à même de vérifier à quel point c'est plus simple que cela peut sembler à prime abord. Il s'agit d'une écoute de tous les instants. Il s'agit d'être présent lorsque quelqu'un nous parle. Chaque fois qu'une personne nous parle d'un malaise, elle cherche à nous dire beaucoup plus. En toute conscience, elle ne s'en rend pas compte. C'est ce que je cherche à partager avec vous : devenir conscient de ces messages lancés inconsciemment, semble-t-il. Plus vous en serez conscients, plus vous en rirez, et plus vous sourirez devant cette simplicité. Vous vous demanderez, tout comme je l'ai fait un jour : « Comment se fait-il que je n'ai pas remarqué cela auparavant ? »

J'aime par-dessus tout que les ateliers se déroulent sous le thème de l'humour. C'est parfois difficile parce que les gens sont habitués à voir leur « maladie » d'une façon très sérieuse. Je me rends compte aussi à quel point l'aspect « scientifique » est important pour les gens. Je leur suggère des lectures didactiques susceptibles de répondre à leurs besoins. Je laisse la science aux scientifiques. Je préfère le côté simple, la magie du sourire, la découverte personnelle de chacun relativement à ses propres prises de conscience. Je prends plaisir à admirer les yeux brillants de joie et de surprise d'une personne qui ressent ce mouvement intérieur de guérison lorsqu'elle lève le voile sur ses propres émotions et sentiments enfouis au fond d'elle, émotions qu'elle laisse revenir à la surface pour enfin s'en libérer, sans chercher à analyser «le pourquoi du comment».

Nous sommes ce que nous sommes, avec nos propres forces et faiblesses, notre passé, nos peurs et nos doutes. Notre façon de penser et de voir les choses, les événements et les problèmes, nous rend parfois malades. C'est à cette découverte par tous et chacun que je souhaite participer. Je sais également que chaque personne rencontrée m'apporte des éléments nouveaux utiles à la compréhension de ce que je suis et à mon fonctionnement, qu'il soit physique, chimique, biochimique ou intérieur (par la voie du cœur).

7. Mains froides et engourdies

Une dame travaillant dans le milieu de la santé nous confie, lors d'un atelier, qu'elle a les mains froides et engourdies depuis plusieurs semaines. Cela provoque des difficultés avec ses mouvements, et ses mains deviennent *fatiguées*. Cela l'affecte et elle ne sait que faire de ce malaise.

De façon logique et simple, il est bon dans un premier temps de faire le lien entre la partie du corps affectée et ses fonctions. Quelle est la fonction des mains? À quoi servent les mains? À travailler, exécuter une tâche, toucher, caresser, attraper, etc. Les problématiques des mains sont souvent reliées au travail, à l'exécution de tâches. Si nous lisons ceci en ne regardant que le côté RÉEL, donc concret, il est possible que nous ne voyions pas du tout à quoi est lié le problème avec ses mains et le stress qu'elle peut vivre dans l'exécution d'une tâche.

Pour en savoir plus, et pour avoir la possibilité d'examiner la situation d'une façon plus subtile, soit dans le symbolisme de cette partie du corps, je lui demande de me parler de son travail et des situations désagréables qu'elle pourrait éprouver à son travail actuellement. Comme la plupart des gens, elle commence par nier la vérité.

Participante: «J'adore mon travail. Je l'ai choisi et je l'aime. Je n'ai aucun problème avec mon emploi.»

Animatrice: «Donc, vous ne vivez aucune situation difficile au travail?»

Participante: «Naturellement, il y a toujours des tensions de temps à autre. C'est normal, non?»

Animatrice: «Y a-t-il une situation qui vous affecte plus particulièrement actuellement?»

Participante: «Il y a certains changements que nous suggérons au directeur depuis un certain temps, mais ça n'aboutit pas. Il y a des choses qu'il faudrait changer, et je n'ose pas en parler. **Je me sens les mains liées par rapport à ça, je ne peux rien faire.**»

Animatrice: «Imaginez-vous quelques instants les mains liées par une corde qui vous serre. Comment vous sentez-vous? Qu'est-ce qui arrive avec vos mains? La circulation se fait moins bien. Elles deviennent froides et engourdies. Difficile de faire des mouvements lorsqu'on a les mains liées, n'est-ce pas?»

Elle est restée sans voix. Je lui ai suggéré de vérifier dans son cœur les solutions pour se sentir mieux dans cette situation au travail et de m'en reparler au prochain atelier.

Dès le début de l'atelier suivant, elle a demandé à prendre la parole. «Mes mains vont très bien. Je n'ai plus les mains liées. J'ai fait le lien entre mon malaise et la situation que je vivais. J'ai complètement changé d'attitude vis-à-vis de la situation au travail. Je n'ai plus les mains engourdies maintenant.»

Comme je l'ai écrit précédemment, la maladie (ou malaise) est la représentation exacte du stress ou des émotions vécues dans une situation.

8. Histoire de la dame avec un mal de gorge

Cette dame qui participe à un atelier choisit de décoder le malaise qui affecte sa gorge. Son malaise se manifeste par une sensation de brûlure, des picotements, et elle a mal jusque dans les oreilles.

Elle commence par raconter qu'elle a fait une «sortie de fin d'année» avec la classe de son fils. Elle nous dit qu'un petit garçon lui a tapé sur les nerfs toute la journée par ses manières et son manque d'écoute.

Animatrice: «Ça fait combien de temps?»

Participante: «Il a neuf ans.»

Bien que sa réponse semble ne pas avoir de relation avec la question, je ne le lui fais pas remarquer immédiatement. Je formule la question à nouveau.

Animatrice: « Ça fait combien de temps ? »

Participante: « Ça s'est passé aujourd'hui. »

Animatrice: « Qu'est-ce que vous ressentez par rapport à ce malaise physique ? »

Participante: « Ça m'empêche de parler, de m'exprimer. Je me sens impuissante. Je suis en colère, ça m'enrage, je suis irritée, épuisée. »

Animatrice: « Qu'avez-vous ressenti aujourd'hui avec ce garçon qui n'écoutait pas ? »

Sur le moment, elle m'a regardé la bouche ouverte sans répondre puis elle a souri.

Participante: « La même chose que pour mon mal de gorge. Peu importe ce que je disais, il n'écoutait pas. Ça m'a mise en colère, ça m'enrageait, j'étais exténuée. »

Animatrice: « Qu'en est-il de votre mal de gorge maintenant ? »

Participante: « Ça va mieux, mais il reste encore un petit quelque chose. »

Animatrice: « Dites-moi maintenant ce qui s'est passé il y a neuf ans. »

Participante: « Je ne comprends pas ce que vous voulez dire. »

Animatrice: « Dites-moi ce qui s'est passé il y a neuf ans. »

Participante: « Pourquoi ? Je ne comprends pas ! »

Animatrice: « Tout à l'heure, lorsque je vous ai demandé à quand remontait cette sortie d'école, vous avez répondu : « Il a neuf ans. » Bien entendu, j'ai compris que vous parliez de l'enfant qui vous dérangeait. Par contre, cela n'avait aucun rapport avec la question que j'avais posée. Alors, comme le subconscient se sert de nos histoires, de notre expression, de notre langage pour nous aider à aller plus loin dans notre démarche, dites-moi maintenant ce qui s'est passé il y a neuf ans. Je crois qu'il s'agit d'un moment important qui pourrait vous aider à vous libérer totalement de ce mal de gorge actuel et libérer ce vieux souvenir qui vous est remonté à la gorge aujourd'hui. »

Au début, elle ne savait pas quoi dire. Elle ne se souvenait d'aucun événement désagréable particulier. Alors, je lui ai demandé d'exprimer n'importe quel événement, agréable ou non.

Participante: « Il y a neuf ans, tout allait bien. Mon copain et moi avions choisi de vivre ensemble. C'était une année très agréable, je ne comprends pas. »

Animatrice: « Quel était le côté désagréable de cette nouvelle vie commune ? »

Là, elle comprend. Ses yeux s'allument.

Participante: « Son "ex ". Elle appelait tout le temps. Elle nous dérangeait constamment. Je ne voulais plus l'entendre. Je ne pouvais rien dire. J'étais contrariée et je me sentais impuissante devant cette situation.

Animatrice : « Et maintenant, où en est votre mal de gorge ? »

Participante : « C'est fini ! Toute la douleur est disparue. C'est incroyable ! On a pu trouver tout cela seulement parce que j'ai répondu : « Il a neuf ans », sans m'en rendre compte ?

En effet, tous les mots utilisés lorsqu'une personne raconte une histoire ou qu'elle décrit son malaise sont importants. Surtout, lorsqu'une personne exprime des mots ou des paroles qui semblent n'avoir aucun lien avec la conversation du moment.

9. Histoire de la dame qui affirme ne pas se dévaloriser

Comme je l'ai expliqué précédemment, les recherches du Dr Sabbah démontrent que la dévalorisation profonde peut causer de graves problèmes osseux et d'articulation, et la dévalorisation de performance provoque des problèmes musculaires, de tendons, etc.

Une dame raconte qu'elle souffre d'arthrite, d'arthrose et d'ostéoporose, mais qu'elle ne se dévalorise pas. Elle rajoute que ce que je dis ne s'applique pas à sa situation et qu'elle aimerait bien savoir quelle serait alors la cause de ses problèmes osseux.

Dans un premier temps, j'ai choisi d'échanger avec elle sur ce qu'est la dévalorisation. D'une façon simple, nous pourrions dire que la dévalorisation consiste à ne pas se trouver assez bon pour faire quelque chose ou exécuter une tâche, ou encore de se comparer à quelqu'un d'autre en le jugeant meilleur que soi. Elle nie immédiatement. Elle estime qu'elle est bonne dans ce qu'elle fait. Jamais elle ne se considère incompétente et elle ne se compare pas aux autres.

Je continue quand même cet échange, malgré ce mur qu'elle érige entre elle et moi par rapport à l'information que j'essaie de transmettre. Comme d'habitude, je choisis des exemples très simples, très réalistes relativement à notre quotidien.

Animatrice: « Trouvez-vous valorisant de ramasser les caleçons de votre conjoint tous les jours à côté du lit ? »

Participante: « Je n'ai pas ce problème-là, je vis seule. »

Animatrice: « Avez-vous déjà ramassé les affaires des autres qui traînent, par terre ou ailleurs ? »

Participante: « Oui, mais maintenant je n'ai plus à le faire puisque je suis seule. »

Animatrice: « Je vous répète la question. Trouvez-vous valorisant de ramasser les affaires des autres, qui traînent ? Oui ou non ? »

Participante: « Non, mais ça ne s'applique pas dans mon cas. »

Animatrice: « L'avez-vous déjà fait, OUI ou NON ? »

Participante: « Oui. »

Animatrice: « Est-ce que vous trouviez ça valorisant ? »

Participante: « Ce n'est pas vraiment valorisant mais je ne vois pas le rapport avec mes problèmes osseux ? »

Animatrice: « Quelle sorte de travaux manuels faites-vous ? »

Participante: « De la couture, du jardinage et bien d'autres. »

Animatrice: « Quand vous faites une erreur, quand vous vous trompez dans votre travail de couture, que pensez-vous de vous-même ? »

Participante: « Il arrive que je me trouve stupide de ne pas avoir pensé à faire ça de telle ou telle façon. »

Participante: « Être stupide, est-ce valorisant ? »

Silence pendant quelques secondes.

Participante: « Non, en effet, mais je ne vois toujours pas comment le fait de dire que je suis stupide peut entraîner des problèmes osseux. »

Animatrice: « Chaque fois que je me trouve stupide, imbécile ou incapable, je me dévalorise. Parfois, il s'agit de situations banales et parfois de circonstances beaucoup plus difficiles, plus dramatiques. Est-ce que vous commencez à faire le lien ? Y a-t-il des événements dernièrement où vous vous êtes sentie ainsi ? Des situations que vous ne maîtrisiez guère, où vous vous sentiez incapable ou stupide ? Des situations avec lesquelles vous ne saviez comment réagir ? »

La dame réfléchit un peu avant de répondre. Elle est de moins en moins sur la défensive. Nous pouvons voir et constater qu'elle réfléchit aux situations qui la préoccupent actuellement.

Participante : « Je crois que j'ai trouvé en quoi je me suis dévalorisée toute ma vie. Je n'ai jamais su saisir les occasions qui se présentaient à moi. J'avais peur de ne pas réussir ou de ne pas faire les bons choix. »

En résumé, chaque fois que nous mettons en doute nos connaissances et habiletés ou que nous nous comparons à quelqu'un d'autre, nous vivons de la dévalorisation.

– « Est-ce que je vaux cela ? »

– « Est-ce que je suis capable de faire cela ? »

– « Est-ce que je suis assez bonne pour faire cela ? »

L'histoire ne dit pas si cette dame a vu son état s'améliorer. Toutefois, il est évident qu'une prise de conscience a été faite. Dorénavant, elle aura une vision différente des situations qu'elle vivra.

Note importante

Les problèmes osseux et musculaires sont attribuables à de la dévalorisation (personnelle en tant qu'individu ou de performance), mais la dévalorisation peut causer aussi d'autres problèmes de santé qui n'affecteront pas nécessairement les os ou les muscles.

Exercice de décodage des maux

<table>
<tr><td colspan="2" align="center">Exemple pour l'exercice de décodage</td></tr>
<tr><td>Description du malaise</td><td>Décodage du malaise</td></tr>
<tr><td>
• J'ai mal à l'épaule droite ;
• Ça élance et ça fait mal quand j'y touche ;
• La douleur est intense ;
• Ça fait tellement mal que j'ai de la difficulté à faire mes tâches ménagères et à effectuer mon travail au bureau ;
• Ça m'empêche de fonctionner normalement ;
• Je me sens incapable de faire ce que j'ai à faire.
</td><td>
• Quelle situation m'amène à vivre un stress si INTENSE que cela m'empêche de faire les tâches que j'ai à accomplir ?
• Quelle situation me fait tellement souffrir que ça m'empêche de FONCTIONNER NORMALEMENT ?
• Quelle situation de ma vie me fait me sentir si INCAPABLE ?
• Quelle situation de ma vie est si DIFFICILE ET SI LOURDE À SUPPORTER ?
• Dans quelle situation de ma vie est-ce que je me sens si coincée ?
• Dans quelle situation est-ce que je me juge tellement MALHABILE que je crois ne JAMAIS POUVOIR RÉUSSIR à y arriver ?
</td></tr>
</table>

> **Ressentis par rapport au malaise**
> • J'ai de la difficulté à supporter ça ;
> • Je me sens coincée, comme si j'étais prise dans un étau ;
> • Je trouve ça lourd ;
> • Je me sens malhabile dans tout ce que je fais ;
> • C'est comme si je n'étais plus capable de réussir quoi que ce soit.

Voici quelques questions à vous poser et que vous pourrez appliquer à d'autres aspects de votre vie.

Quelle est la situation qui m'a amené à avoir ce malaise ?

« Je vis une situation difficile au bureau et je ne sais plus comment y remédier. J'ai peur de ne pas réussir à m'en sortir. Les employés desquels je suis responsable me causent des problèmes. C'est lourd à porter. Je n'arrive même plus à faire mon travail correctement. Je crois que je ne suis pas assez bonne pour assumer ce genre de responsabilités. »

Quels autres ressentis puis-je exprimer pour me libérer complètement de ce malaise ?

« J'ai toujours peur de ne pas être à la hauteur de la situation pour gérer des employés. Depuis que j'occupe ce poste, je me sens tellement maladroite. J'ai peur de me tromper. Je me sens incapable de prendre les bonnes décisions, de faire les bons choix. J'ai peur de ne pas avoir les connaissances requises pour faire partie du personnel cadre. C'est gênant. »

L'important est de **tout dire**. En exprimant la **réalité**, la **vérité** sur toute la douleur reliée au malaise et sur tout ce que ce malaise vous fait ressentir, vous réussirez à découvrir quelle situation vous a causé ce dérèglement physique. Lorsque vous aurez découvert quelle est la situation difficile et stressante camouflée sous ce malaise, continuez à exprimer tout ce que vous ressentez par rapport à la situation.

De cette façon, vous vous libérerez complètement de la charge émotionnelle, et le malaise n'aura plus aucune raison d'être. Le cerveau sait quand le malaise doit se dissiper et il fera en sorte d'assurer la réparation.

C'est ainsi que nos maux, nos malaises disparaissent. Il suffit de PRENDRE CONSCIENCE des ressentis (émotions) reliés au malaise lorsque nous ne connaissons pas la situation. Ensuite, il faut prendre conscience de tout ce que cette situation nous fait vivre au niveau émotionnel et conflictuel.

Exercice personnel de décodage des maux

Je suggère d'utiliser un cahier pour reproduire ce tableau et consigner vos exercices de décodage.

Description du malaise	Décodage du malaise
• **Décrivez le malaise** comme si vous aviez à le faire chez le médecin. • **Décrivez comment cela se manifeste** dans votre corps. Exemple : ça brûle, ça tire, c'est comme une pression, une tension, etc.	Quelle est la situation qui... ? (Reprendre les mots qui ont été utilisés précédemment dans l'exercice de décodage).

Ressentis par rapport au malaise

Exprimez votre ressenti par rapport à ce malaise (c'est-à-dire ce que vous ressentez d'avoir ce malaise, ce que ça vous empêche de faire, vos limites, etc.).

Vous pouvez utiliser ici les mêmes questions que celles suggérées précédemment pour faire votre propre exercice personnel de décodage des maux dans votre cahier.

L'apprenti sage

Exprimer ses émotions

*P*our la plupart des gens, exprimer des émotions s'avère difficile. C'est normal, si on considère les barrières d'expression qui nous ont été inculquées depuis notre plus tendre enfance.

Prenons l'exemple d'un jeune enfant qui reçoit un jouet qui le comble de joie. Ses yeux brillent et il sourit. Peut-être même ira-t-il de façon impulsive jusqu'à se jeter dans les bras de la personne qui lui a offert ce cadeau. Dans chacun de ces cas, il s'est exprimé. Il a exprimé sa joie et sa reconnaissance. Et ce, sans dire un mot. Un autre enfant dira avec un grand sourire «Oh! je suis content, c'est ça que je voulais.» L'enfant s'est exprimé. Il a exprimé sa joie.

Peut-être avez-vous déjà remarqué qu'à ces occasions, souvent l'enfant se fait réprimander. «Tu n'as pas dit merci à ta grand-mère ou à ta tante!» «Tu n'es pas gentil, tu n'as pas remercié!» Alors, l'enfant commence à croire qu'il s'est mal exprimé. Pourtant, il l'a fait. Il s'est exprimé d'une manière non verbale, mais il l'a fait. Dire **merci** n'ajoute rien à tout ce qu'il a déjà manifesté en gestes ou en paroles.

Par la suite, il modérera sa joie et se contentera de dire : «Merci, ma tante», «Merci, grand-mère», et finalement, personne ne saura s'il a vraiment aimé le cadeau. Au fil des années, cet enfant deviendra adulte, réprimera sa joie et se contentera d'un merci bien poli sans grande signification. Il dissimulera sa joie pour qu'on ne sache pas à quel point il est heureux. Ses expériences passées lui ont confirmé qu'il ne fallait pas trop montrer sa joie, son bonheur.

Vous êtes-vous déjà arrêté sur la signification des mots **merci** et **remercier** ? Être à la «merci» de quelqu'un, ça vous dit quelque chose ? Être remercié signifie tout autant l'expression de la gratitude qu'un refus poli ou un congédiement. Est-ce donc si important d'entendre ces mots s'ils sont dits pour nous renvoyer ou seulement par obligation et sans grande conviction ?

Le regard brillant d'un enfant, ses démonstrations de joie et d'affection ne témoignent-ils pas plus de gratitude et de reconnaissance qu'un banal «merci» qui, somme toute, signifie peu de chose et porte à confusion ? L'expression de la joie ou de la reconnaissance peut donc se manifester autant de manière non verbale (par un sourire, un geste d'affection) que verbale en exprimant la réalité, soit : «Je suis content ! Je suis agréablement surpris !»

Nous avons appris à dissimuler nos joies et nos plaisirs. Nous avons, par le fait même, appris à cacher nos peines, nos peurs, nos doutes, nos inquiétudes, nos frustrations, nos impuissances, etc. **Il ne faut pas que ça paraisse. Il ne faut pas que ça se sache. Il ne faut pas déranger.** La plupart d'entre nous avons appris à banaliser nos émotions. Comment en sommes-nous arrivés là?

Nous avons INTÉGRÉ l'information fausse qui nous a été transmise. Laquelle? Il ne faut pas s'exhiber et montrer nos émotions dites négatives (peurs, inquiétudes, déceptions, etc.) pas plus que nos émotions dites positives (joies, plaisirs, etc.). Cela nous exposerait au regard des gens et à leur jugement. Ceux-ci pourraient croire que nous sommes faibles ou que nous ne respectons pas les convenances. On nous a enseigné qu'il fallait nous taire, camoufler la vérité et banaliser les événements, et qu'il était préférable de fermer les yeux et de faire la sourde oreille devant l'émotion de nos semblables. De cette façon, nous donnons plus d'importance à l'histoire des gens qu'aux émotions qu'ils ont pu ressentir.

« Tu es tombé et tu t'es fait mal? Relève-toi, vite, les gens nous regardent! » « Tu as peur de ne pas réussir à faire ta dictée? Prends exemple sur ta sœur et étudie! » « Ta meilleure amie ne te parle plus? Ne t'en fais pas, tu en trouveras une autre! » « Tu voulais une bicyclette neuve et c'est ton frère qui en a eu une à ta place? Ça sera peut-être ton tour l'année prochaine! » « On t'a envoyé en pension et tu t'ennuies de ta mère? Cesse de faire le bébé! » « Ton chien a été frappé par une automobile? Ne t'en fais pas, nous en achèterons un autre! » « Tu as perdu ton emploi? Tu vas recevoir des prestations d'assurance-emploi. Chanceux, profites-en! » « Ton mari te trompe? À ta place, ça ferait longtemps que je l'aurais mis à la porte celui-là. »

« Ton oncle t'a touché les seins ? Surtout n'en parle pas, il ne faudrait pas que ça se sache dans la famille ! » « Ton père te bat ? Qu'est-ce qu'on aurait l'air si ça se savait ! « Tu fais un burnout ? Garde ça pour toi, c'est gênant. C'est une maladie mentale, non ? » « Ton patron te harcèle sexuelle-ment ? Tu es bien certaine ne de pas l'avoir aguiché ? » « Sur-tout ne va pas perdre ton emploi pour ça, tu as un bon salaire. Un emploi comme celui-là, ça ne se trouve pas à tous les coins de rue. »

Quand tout va mal, tout comme quand tout va bien, il ne faut pas faire trop de vagues pour ne pas déranger. Par contre, les gens sont prêts à entendre notre histoire et à la raconter eux-mêmes par la suite. Ces histoires alimentent les conversations :

« Savais-tu que Mme Untel a le cancer ?

– Oui, le cancer du sein, je crois.

– Il paraît que sa mère est morte elle aussi d'un cancer du sein.

– Ah oui ? Je ne le savais pas. Dans ma famille, il y a au moins deux femmes qui sont décédées des suites du cancer du sein ».

Malheureusement, une conversation comme celle-ci ne tient pas compte du drame que vit cette dame atteinte du cancer.

Perte d'emploi

Deux voisins se croisent en marchant dans le quartier.

A : « Bonjour ! Qu'est-ce que tu fais là à cette heure-ci ? »

B : « J'ai perdu mon emploi. »

A : « Comment est-ce arrivé ? »

B : « Ils ont coupé cent postes et j'étais parmi les cent derniers employés engagés. »

A : « C'est toujours comme ça, toujours les derniers qui partent en premier ! »

B : « Oui ! C'est vrai ! »

A : « C'est arrivé à mon frère l'an dernier et ça lui a pris des mois avant de dénicher un autre emploi. De plus, son nouvel emploi n'est pas aussi payant. »

B : « Ça ne m'inquiète pas trop ! Je devrais trouver quelque chose rapidement. »

A : « Bonne chance ! »

B : « Merci ! »

Ce type de conversation est monnaie courante. La personne qui vit une perte d'emploi cherche à rendre l'événement anodin pour ne pas en faire tout un plat, et l'autre, devant le malheur de son voisin, ne sait pas quoi dire et ne formule que des banalités.

Cet homme qui a perdu son emploi vit un stress intense. Il ne sait ni quand ni comment il dénichera un nouvel emploi. De plus, il vit dans l'inquiétude de ne plus pouvoir payer les mensualités de son hypothèque. S'il perd sa maison, il a peur que sa relation avec sa femme en souffre. Il s'inquiète de ne pas avoir suffisamment de revenus pour permettre à ses enfants de continuer leurs activités sportives. Cela fait deux fois en deux ans qu'il perd son travail et il commence à se sentir comme s'il était un *moins que rien*, pas assez bon pour garder un emploi et subvenir aux besoins de sa famille.

Le fait de raconter des dizaines de fois aux gens de quelle façon elle a perdu son emploi ne soulage en rien la personne qui l'a perdu. Cela n'apporte rien et ne change rien non plus à sa situation. La charge émotive qu'elle vit est cependant toujours présente en dépit du nombre de fois qu'elle ressasse son histoire. Le stress qui l'assaille l'entraînera éventuellement à souffrir de différents malaises physiques, peut-être même d'une dépression, selon la durée et l'intensité du stress qu'elle ressent et selon les différentes émotions qui se manifestent.

Nous croyons que raconter aux autres notre histoire (dans le cas présent : la perte d'un emploi et la façon dont cela s'est passé) est « s'exprimer ». Nous pensons également que lorsque nous disons à quel point nous en voulons à l'employeur ou à l'entreprise de nous avoir congédié que nous avons exprimé notre trop-plein d'émotions.

Cependant, exprimer ses émotions est différent. C'est dire comment je me sens ou ce que je ressens par rapport à l'histoire, à la situation que je vis et qui m'affecte.

Dans le cas de cette personne qui perd son emploi, **s'exprimer** signifie **reconnaître** son inquiétude, son impuissance, ses peurs par rapport à l'avenir et ses doutes quant à son potentiel et à sa valeur en tant que travailleuse.

Ce n'est pas facile au début de modifier ce genre de comportement. C'est beaucoup plus simple de raconter comment s'est effectué le licenciement que d'exprimer les émotions déchirantes, parfois de rage qui vous sont montées à la gorge à la suite de cette mise à pied. Malheureusement, cela n'apportera aucun réconfort à la personne qui vit un grand stress. De plus, ce stress intense vécu dans l'isolement, c'est-à-dire au tréfonds d'elle-même, sans que personne ne le sache, causera éventuellement divers malaises et dérèglements physiques.

Pour faire les premiers pas vers l'expression de ses émotions, je suggère l'écriture. Confier sur un cahier ou sur une simple feuille de papier les sentiments et ressentis véritables vis-à-vis d'une situation ou d'un événement est un départ dans l'apprentissage de l'expression. Cependant, comme je le précisais précédemment, il est préférable de s'exprimer à voix haute, tout au moins en chuchotant, car EXPRIMER veut dire SORTIR les émotions qui nous étouffent à l'intérieur.

Est-ce que nous devons exprimer nos émotions à quelqu'un d'autre ? Est-ce que nous devons absolument révéler notre colère à la personne qui l'a provoquée ? Non. La principale concernée est celle qui vit le stress. Elle peut donc s'adresser à elle-même (à voix haute ou en chuchotant) pour s'exprimer et s'avouer la vérité sur les émotions qui l'affectent.

Ainsi, elle pourra s'exprimer sans gêne et cela lui permettra de TOUT DIRE sans créer d'autres situations conflictuelles. Libérée du fardeau des émotions qui l'oppressaient, la personne pourra par la suite manifester son mécontentement ou sa frustration aux personnes qui ont entraîné ce désordre intérieur avec plus de discernement et d'intégrité.

Ce qui ne s'exprime pas s'imprime

Nous pouvons laisser nos émotions IMPRIMER leurs marques à l'intérieur de nous pendant un certain temps. C'est d'ailleurs ce que nous faisons lorsque nous dissimulons ou camouflons au plus profond de nous ce qui nous affecte et nous dérange. Seulement, un jour, nous atteignons notre limite personnelle. Le bouillonnement intérieur déclenche une explosion incontrôlable et les émotions s'expriment en MALA-DIES. Ce qui n'est pas exprimé s'imprime en nous pour laisser une marque dans le corps (au cerveau).

Au moment où l'intensité du stress devient trop élevée pour la survie biologique de l'individu, le cerveau intervient. Comme on l'explique grâce au déco-dage biologique des maladies, par cette marque au cerveau laissée par des émotions (stress) passées sous silence, le cerveau déterminera la solution qui per-mettra la survie biologique de l'individu, ce qui se tra-duira en malaises ou maladies.

Le cerveau, véritable ordinateur central de notre corps, gère toutes les informations reliées aux émo-tions. Chaque ressenti négatif laisse une marque à un endroit précis du cerveau[1]. Cet endroit précis du cer-veau est lui-même relié à un endroit précis du corps. Au moment où l'intensité ou la durée du stress devient trop élevée pour permettre la survie biologique, un message est lancé par le cerveau, et la maladie ou le malaise s'installera à l'endroit précis prévu par le cer-veau. De cette façon, le niveau de stress par rapport à la situation diminue, et c'est maintenant le corps (au

---

1. Découverte du Dr R. G. Hamer, médecin cancérologue allemand. Dès le début des années 80, il a livré le résultat de ses recherches qu'il a nommé *Médecine nouvelle*. Il serait le prédécesseur de l'étude sur la biologie totale des êtres vivants du Dr Claude Sabbah.

niveau biologique) qui vit le stress en matière de malaise ou de maladie.

En prenant conscience de ce fonctionnement de notre corps, il devient impératif d'apprendre à s'exprimer, à EXPRIMER les stress et émotions de façon à prévenir ou guérir la maladie.

Reprenons l'exemple du type en perte d'emploi et laissons-le s'exprimer.

– « Je suis inquiet. »

– « J'ai peur de ne plus pouvoir payer mes dettes. »

– « J'ai peur de perdre ma maison.

– « J'ai peur de perdre la confiance de ma femme. »

– « J'ai peur qu'elle me prenne pour un bon à rien. »

– « J'ai peur que mes enfants me détestent parce que je ne peux plus leur payer les luxes auxquels ils sont habitués. »

– « J'ai peur de perdre l'affection de ma femme et de mes enfants. »

– « J'ai peur d'être incapable de trouver un nouvel emploi rapidement. »

– « Je me sens comme si j'étais en train de tout perdre ce qui est important pour moi ! »

Voilà tout ce qui peut se cacher derrière une histoire. Ce n'est pas l'histoire qui affecte l'individu, ce sont les émotions, la charge émotive contenue dans l'histoire. Une personne qui se sent *comme si elle avait perdu tout ce qui est important pour elle* peut aller jusqu'à faire un infarctus du myocarde, si son stress est trop intense ou dure trop longtemps. Voilà l'importance d'exprimer ce que l'on ressent vraiment afin de diminuer les effets néfastes de la charge émotive et de réduire ainsi l'impact qu'aura ce stress sur le corps d'un individu.

Trop souvent nous sommes portés à banaliser tout incident. Il ne s'agit pas ici de donner de l'importance à un événement qui ne nous affecte pas. Si je me réjouis d'avoir perdu un emploi, parce que cela me donne l'occasion d'aller de l'avant dans mes projets personnels d'études ou de changements professionnels, je ne subirai pas d'impact au niveau biologique, puisqu'aucune marque douloureuse ne se sera « imprimée » dans mon cerveau.

Seuls les événements et situations désagréables et stressants, pour lesquels nous ne trouvons pas de solutions qui nous conviennent et qui nous font vivre toutes sortes d'émotions que nous dissimulons (ou que nous nous dissimulons), laisseront un impact au cerveau.

Il nous faut reconnaître la VÉRITÉ, la RÉALITÉ. Est-ce que cet événement ou cette situation vous affecte, OUI ou NON ? Seuls ces deux choix sont possibles. Toutefois, les réponses ressemblent le plus souvent à celles-ci :

– « Ça ne m'affecte pas tant que ça ! »

– « Ça ne me dérange pas tellement ! »

Si « ça ne vous affecte **pas tant que ça** », c'est donc que cela vous affecte quand même un peu. OUI ou

NON? Si cela ne vous dérange **pas tellement**, comment expliquer que vous soyez si malade aujourd'hui? Qu'est-ce qui provoque cet état?

Nous éprouvons parfois de la difficulté à accepter notre vérité, notre réalité. Nous sommes habitués à rendre anodin ou banal ce qui nous arrive. Nous avons appris à ne pas nous plaindre pour rien, à ne pas étaler notre vie privée car *ça ne se fait pas.*

Maintenant, de jour en jour, nous devenons conscients que ces émotions qui nous affectent en viennent à infliger toutes sortes de dérèglements à notre corps physique. Nous ne pouvons plus demeurer aveugles ou sourds devant cette nouvelle conscience. Nous retrouvons cette information dans plusieurs revues concernant tout autant la médecine douce ou parallèle que la médecine traditionnelle. Plusieurs livres ont déjà été écrits sur ce sujet. La plupart des médias en parlent de plus en plus. Nous savons maintenant que les stress (émotions, charges émotives négatives, drames et chocs émotionnels) sont la cause de nos malaises et maladies. Voilà pourquoi il devient important d'apprendre à s'exprimer.

Tel que je le mentionnais plus tôt, je vous suggère de commencer à écrire les émotions reliées à une situation désagréable ou à un drame vécu si vous vous sentez incapable d'en parler ouvertement à quelqu'un de votre entourage. Écrire vos émotions vous permettra de libérer une grande partie de la charge émotive reliée à l'événement. Vous pourrez ainsi consigner par écrit tout ce que vous avez sur le cœur sans avoir peur de blesser qui que ce soit. De plus, personne ne vous coupera la parole pour **banaliser** vos émotions et vous dire : « Ce n'est pas grave ! Tu t'en fais pour rien. » Vous aurez donc tout le loisir de laisser aller ce qui vous étouffe au plus profond de vous-même, ce qui vous ronge de l'intérieur.

Exprimer les émotions ou critiquer et blâmer les autres

Une personne revient du travail avec un mal de tête et un mal d'estomac. Elle raconte sa journée à son conjoint.

A : « Tu ne devineras jamais ce qu'a fait *La Chipie* aujourd'hui ? »

B : « Tu parles de Denise ? »

A : « Oui, c'est exact. Elle a dit au directeur qu'elle avait de l'expérience en sténo et qu'elle avait l'habitude de prendre des notes lors de réunions et congrès. Maintenant, c'est elle qui prendra ma place au prochain congrès à Québec. «

B : « C'est décevant pour toi ! »

A : « Pour qui se prend-elle ? Elle vient tout juste d'arriver dans l'entreprise et elle agit comme si elle était le nombril du monde. Madame sait tout ! Elle se vante tout le temps. Elle est toujours meilleure que les autres, peu importe de quoi on parle. »

Voici maintenant ce qu'elle aurait pu exprimer tout en racontant sa journée et se soulager en même temps de son mal de tête et de son mal d'estomac.

A : « Tu sais quoi ? »

B : « Non ! »

A : « C'est Denise, la nouvelle employée, qui prendra ma place comme sténo au prochain congrès à Québec. »

B : « C'est décevant pour toi. »

A : « Oui. Je suis déçue. Je suis frustrée. Je ne peux pas accepter que ce soit elle, plutôt que moi. D'habitude, c'est moi qui assiste aux congrès. Je trouve ça difficile à digérer qu'elle prenne ma place. »

B : « Qu'est-ce que tu comptes faire ? »

A : « Justement, je ne le sais pas. Je me suis cassé la tête toute la journée avec ce problème-là. Je n'ai pas trouvé de solution. Je me sens impuissante à résoudre cela intelligemment. C'est comme si je n'étais plus capable de réfléchir avec discernement, tellement je suis frustrée et en colère. »

B : « Dis-moi les solutions auxquelles tu as pensé. En les exprimant à voix haute peut-être en trouveras-tu une qui te convient parfaitement. »

A : « Bonne idée ! Veux-tu les prendre en note comme ça ce sera encore plus facile de faire le tri par la suite ? »

B : « Bien sûr ! Vas-y, je t'écoute. »

Voilà comment en exprimant sa détresse, en dévoilant ce qu'elle ressent vis-à-vis cette situation, cette personne peut se libérer des émotions qui l'amènent à vivre des malaises physiques. Critiquer ou blâmer Denise n'est pas l'expression d'émotions ou de stress et ne soulagera aucun malaise. De reconnaître la vérité, en précisant les émotions réelles vécues à travers cette situation avec Denise, cela lui permet de laisser aller ce mal d'estomac (ce qu'elle ne peut digérer) et ce mal de tête (cette solution qu'elle ne trouve pas).

S'avouer la vérité, c'est dire ce que cela nous fait à NOUS, et non ce que l'autre a fait. C'est exprimer comment NOUS nous sommes sentis dans cette situation, et non ce que l'autre nous a fait subir.

La plupart du temps, l'autre personne ne nous a rien fait. Elle a simplement agi pour servir ses propres intérêts et cela nous a affecté. Définir et reconnaître en quoi cela nous affecte et nous blesse, voilà ce qu'il nous faut découvrir. En exprimant tout simplement comment on se sent en RÉALITÉ, cela fait toute la différence.

La plupart des gens croient qu'ils se sont exprimés parce qu'ils ont dit à qui voulait l'entendre à quel point une telle n'est pas correcte et que ses agissements ne le sont guère davantage. Prenons l'exemple d'une femme mariée, mère de famille ou non, qui se plaint régulièrement que son mari ne l'aide jamais à la maison, qu'elle doit tout faire elle-même. Même si elle continue de se plaindre, cela ne changera rien à la situation, vous l'avez sûrement déjà expérimenté.

Quelle est la réalité de la dame dans ce cas-ci ? Elle s'exprimerait sans doute comme ceci :

– « Je me sens débordée. »

– « Je n'arrive plus à tout faire. »

– « Je me sens fatiguée. »

– « Je ne me sens pas écoutée. »

– « Je ne me sens pas épaulée. »

– « Je me sens découragée d'avoir toute cette charge de travail à la maison en plus du travail à l'extérieur. »

– « Je me sens comme si j'étais la servante de la maison. »

– « Je me sens comme si je n'étais pas importante. »

– Etc.

D'après ce qui est exprimé ici, il serait vraisemblable que la dame souffre d'un mal de dos ou d'un autre dérèglement affectant les os ou les articulations *à assumer seule une telle charge et à se dévaloriser ainsi*. Les malaises physiques représentent habituellement fidèlement le stress vécu. Selon ce qui est exprimé, on peut facilement faire le lien entre les malaises et les émotions qui les ont provoqués.

Plusieurs attitudes peuvent bloquer l'expression de nos émotions : ne pas se sentir écouté, se faire dire de ne pas s'en faire ou que ce n'est pas grave, et plusieurs autres.

Note Chaque fois que nous nous sentons mal à l'aise ou bouleversé par une situation, il est essentiel de retourner vers soi, à l'intérieur de son cœur, pour vérifier de quelle façon ou en quoi cela nous affecte au lieu de blâmer et critiquer quelqu'un d'autre.

Expression de la colère
et de la tristesse

*I*l est de plus en plus *à la mode* de parler des émotions, de dire qu'il faut exprimer ses émotions. Sur ce sujet, nous pouvons lire dans certains livres qu'il faut exprimer sa colère et sa tristesse pour guérir. Comment faire pour exprimer cette colère? Comment faire pour exprimer cette tristesse? Voilà des questions intéressantes qu'on me pose souvent.

On pourrait croire que, pour exprimer sa colère, il s'agit de se fâcher et d'engueuler l'individu qui nous fait du tort. On pourrait croire également qu'il suffit de dire tout ce qu'on a sur le cœur, un peu comme ceci: «Je suis écœuré de cet emploi. Mon patron est tout le temps sur mon dos. On ne peut jamais rien dire. Il n'y a jamais rien qui change».

Cette personne pourrait répéter ceci des centaines de fois et elle aurait raison de dire que jamais rien ne change. Exprimer sa colère de cette façon ne change rien. De plus, elle n'a aucunement exprimé sa colère.

Elle dit tout au plus son mécontentement à qui veut l'entendre mais, à aucun moment, elle n'a extériorisé **les émotions reliées à sa colère**.

En ce qui a trait à la tristesse, le même phénomène se produit. Les gens pleurent lorsqu'ils sont tristes, lorsqu'on leur fait de la peine. Lorsque je demande à une personne ce qu'elle ressent par rapport à la situation qu'elle vit, elle répond ceci : « Ça me fait de la peine ». Et là, elle croit qu'elle vient d'exprimer ses émotions. Malheureusement, pleurer et dire que « ça me fait de la peine » n'est pas suffisant pour guérir ou changer quoi que ce soit à une situation désagréable pour laquelle on ne trouve pas de solution satisfaisante. L'expression de la colère et de la tristesse doit se faire de façon plus approfondie.

Lorsqu'une personne me dit : « Je suis en colère », ou « Je suis triste », je lui réponds : « Désolée, mais vous n'avez encore rien révélé de vos ressentis. » Parfois, cela choque un peu les gens. Ils croient sincèrement qu'il n'y a rien d'autre à ajouter.

Quelles sont les émotions (ressentis) qui ont suscité cette colère ou cette tristesse ? Voilà la vraie question à laquelle il faut répondre et cela peut s'avérer beaucoup plus difficile puisque nous n'avons pas l'habitude de dire *les vrais mots, de reconnaître la vérité*.

« Je me suis senti frustré, contrarié, exaspéré, insatisfait, dégoûté, trahi, insulté, humilié », etc. Ces émotions peuvent provoquer la **colère**.

« Je me suis senti découragé, désespéré, déprimé, déçu, désillusionné, blessé, rejeté », etc. Voilà des émotions qui peuvent susciter la **tristesse**.

Il est important de se permettre de pleurer. De plus, cela procure un certain soulagement. Cependant, pleurer n'apportera pas le mieux-être ou la guérison souhaitée. Crier sa hargne à quelqu'un risque de créer un conflit supplémentaire sans pour autant améliorer la situation. Naturellement, il ne s'agit pas de **ravaler** vos larmes ou votre colère. De faire savoir à l'autre que cela vous a mis en colère, c'est bien. Pleurer lorsque vous êtes triste est très bien aussi. Sachez toutefois qu'il vaut encore mieux reconnaître ce qui a réellement provoqué cette colère ou cette tristesse.

Les événements dramatiques soulèvent diverses émotions qui engendrent des pleurs qui perdurent sur des périodes plus ou moins longues. En découvrant la raison émotionnelle de ces larmes, nous permettons à cette tristesse de s'en aller plus rapidement et d'éprouver un soulagement réel. Toujours en se reportant à l'exercice pour se centrer sur son cœur, il est possible de s'interroger simplement pour reconnaître les émotions qui provoquent cette peine, cette tristesse. Pour y parvenir, il est toutefois nécessaire d'établir la différence entre **accueillir** et **reconnaître**.

ACCUEILLIR l'émotion. Pendant quelques années, je me demandais ce que cela pouvait bien vouloir dire. « Bonjour, tristesse ! Comment vas-tu ? »

Même si je savais qu'il était important d'accueillir l'émotion, je ne savais vraiment pas de quelle façon m'y prendre. J'ai souvent essayé de le faire. Lorsque je me sentais triste, je me disais : « O.K., tristesse. Je te sens monter. Alors, monte et ensuite, va-t'en. » Je vivais ma tristesse. Je me sentais triste. Je pleurais. Ensuite, je redevenais fonctionnelle. Pourtant, elle ne me quittait pas vraiment. Elle m'attendait encore au détour du chemin, le lendemain. C'est d'ailleurs le **chemin** que je vais emprunter pour expliquer la différence entre accueillir l'émotion et reconnaître l'émotion.

Par mon travail, je suis souvent amenée à emprunter de nouvelles routes, de nouveaux chemins. Parfois, je cherche mon chemin et je me sens perdue. Je suis tellement soulagée lorsque j'aperçois des indices, des panneaux de signalisation qui me permettent de **reconnaître** le bon chemin, la bonne route à suivre.

C'est ainsi qu'un jour j'ai compris l'importance de **reconnaître** ce qui m'arrivait pour mieux l'**accueillir**. Si je reconnais une enseigne, un restaurant, une indication quelconque, je retrouve la paix, le calme, la sérénité et, là, je continue à avancer le cœur léger. Toutefois, lorsque les panneaux indicateurs ne me procurent pas l'information nécessaire, j'accueille les indications sans trop savoir de quoi il s'agit et je me sens encore nerveuse et perdue, tant et aussi longtemps que je ne suis pas arrivée à destination.

Aussi, en accueillant un autostoppeur inconnu dans mon véhicule, je peux me sentir mal à l'aise et regretter de l'avoir fait monter. Je peux avoir peur de lui et de ce qui peut m'arriver. Par contre, si je reconnais l'autostoppeur, je ne sentirai pas ces malaises. De la même façon, si je reconnais que j'ai commis une erreur, si je reconnais que je me suis trompée, je pourrai trouver mon chemin et aller de l'avant plus rapidement. Je pourrai *passer à autre chose*.

Donc, plutôt que d'**accueillir** l'émotion, **il est préférable de la reconnaître**. Quand je reconnais quelqu'un ou quelque chose, je suis en mesure de prononcer son nom. Quand je reconnais quelqu'un, je dis : «Ha! bonjour, madame Loiselle. Quels sont les produits que vous avez à me suggérer aujourd'hui?», au lieu de simplement accueillir un étranger qui frappe à votre porte sans trop savoir de qui il s'agit ni pourquoi il est là. L'émotion à l'intérieur de nous n'est pas la même.

Avez-vous appris à accueillir ou à reconnaître l'émotion? Répondez à la question suivante: Qu'est-ce que vous ressentez d'avoir mal au dos? Si vous avez répondu «Je me sens mal», c'est donc que vous savez accueillir l'émotion mais non la reconnaître.

Exercice de décodage pour une expression usuelle

«Je me sens mal.»

Quelle est la signification réelle de ces quelques mots?

- «Je me sens "coincé".»
- «C'est comme si j'avais un étau qui me serrait à l'intérieur.»
- «J'étouffe.»
- «Je n'arrive pas à respirer.»
- «Je n'arrive pas à dire ce que je voudrais.»
- «J'ai peur que ce que j'ai à dire blesse l'autre.»
- «J'ai peur que si je le dis, l'autre me rejette et que je me retrouve seul.»

Tentez maintenant d'exprimer ce que signifie pour vous l'expression «je me sens mal». Faites l'exercice à voix haute ou par écrit. Le but de cet apprentissage est de découvrir ce qui se cache derrière les mots que vous employez. Une même expression aura une signification différente pour chaque individu selon les situations difficiles du moment.

Lorsque l'on tente cette expérience pour la première fois, il est parfois difficile de trouver les mots justes. Nous utilisons ainsi quelques mots pour résumer l'ensemble de nos émotions sans prendre le temps de reconnaître leur signification ou l'influence que ces dernières auront sur notre vie. Les formulations suivantes sont celles qui reviennent le plus souvent lors de consultations ou d'ateliers de formation : « Je me sens mal, je suis triste, j'ai de la peine, je suis en colère, ça m'enrage. » Comme chaque parole ou mot exprimé est parfois lourd de sens et d'émotions, il est nécessaire de décoder le langage utilisé afin de reconnaître les émotions ayant provoqué colère, tristesse ou malaise.

Situation conflictuelle : la séparation

Plusieurs situations conflictuelles affectent l'existence de chacun. Parmi celles-ci, la séparation est souvent un événement dramatique qui, selon la façon de penser, déclenche des ressentis de colère, de rage et de tristesse. Dans un contexte de séparation, le décodage des mots, du langage, permet de retrouver le calme et la paix intérieure avant que ces mots se transforment en maux.

En 1999, j'ai fait l'expérience de la séparation de couple. Nous étions mariés depuis plus de vingt-deux ans et nous étions ensemble depuis vingt-cinq ans. Heureusement, c'est dans cette période difficile de ma vie que m'a été donné le cadeau d'apprendre à «aller dans mon cœur».

Évidemment, pendant les quelques semaines suivant cette séparation, j'ai vécu de la tristesse. J'avais de la peine. J'accueillais cette tristesse comme je le pouvais jusqu'à ce que je choisisse d'aller vérifier dans mon cœur pourquoi j'étais si triste. Chaque fois que je sentais la peine monter, je me centrais et je demandais: «Tristesse, quel nom portes-tu aujourd'hui?» ou encore: «Qu'est-ce qui fait que je pleure aujourd'hui?».

Les réponses étaient souvent différentes. Parfois je me sentais rejetée, parfois humiliée, parfois déçue, parfois complètement perdue, parfois c'est la solitude qui me rendait triste. En d'autres occasions, je pleurais de frustration, de découragement et même de désespoir. Chaque fois que j'ai fait cet exercice, mes pleurs cessaient dès que j'avais reconnu la vraie raison de ma tristesse. En reconnaissant la déception, je pouvais revoir en moi toutes les fois où j'avais été déçue, et pas seulement dans mon couple. Il en était de même pour les autres émotions.

C'est alors que j'ai compris que je ne pleurais pas seulement à cause du départ de cet homme que j'avais aimé, mais je pleurais pour toutes les fois où j'avais été trahie, humiliée, déçue, frustrée, découragée, désespérée, etc. En fait, la plupart du temps, ça n'avait rien à voir avec la séparation présente. Il s'agissait d'un rappel du passé. Cela m'a permis de faire un grand ménage, et je peux dire aujourd'hui que j'ai pu vivre cette séparation et ce divorce avec plus de calme et de sérénité que je ne m'en serais crue capable.

J'ai traversé cette épreuve en gardant une bonne relation avec cet homme, car j'ai compris qu'il n'était pas responsable de tous mes malheurs et qu'il n'était pas un traître. J'ai pu réaliser **que l'autre n'était pas responsable de ma tristesse**. Mon attitude et ma perception par rapport à la séparation étaient erronées. Je l'ai découvert en reconnaissant chacune de mes émotions lorsqu'elles se présentaient et en les déterminant au lieu de me répéter que j'étais triste et que je me sentais mal.

Cette séparation a été un excellent «*apprenti sage*» pour me permettre de **reconnaître** mes émotions.

Du passé au présent

Lorsqu'on choisit de se libérer de ses émotions au jour le jour, sans accumuler et en rajouter par-dessus toutes celles vécues depuis tant d'années, il devient plus simple de reconnaître facilement ce qu'on ressent. Cependant, essayer de dire ce qu'on ressent par rapport à un événement survenu il y a 10, 20, 30 ans ou plus de 40 ans peut paraître impossible.

Pour surmonter cette difficulté, il suffit d'admettre cette réalité : lorsque survient un malaise **aujourd'hui**, c'est le passé qui refait surface. En fait, c'est le passé qui rejoint le présent. Le passé vu sous l'angle d'émotions déjà ressenties, de malaises déjà vécus, de situations désagréables pour lesquelles on n'a jamais su trouver de solution satisfaisante par le passé et qui refont surface. Bien qu'il se présente de façon différente, ce passé revient en force avec la même tonalité ou nuance d'émotions, de mal-être intérieur.

Plutôt que d'essayer de fouiller dans son passé pour apprendre ce qui a bien pu arriver pour qu'aujourd'hui la maladie ou le mal-être s'installe, à la suite d'un événement pénible, il est préférable de sonder le présent et d'en évacuer les émotions.

J'ai expérimenté cette façon de faire à plusieurs reprises. J'ai pu constater que lorsque je m'entête à essayer de régler le passé sans prendre en considération ce que je vis au présent, il me manque de l'information, et je n'arrive pas à trouver les *mots justes* ou les émotions réelles qui me font mal encore aujourd'hui.

C'EST DANS LE QUOTIDIEN, dans le PRÉSENT, que nous découvrirons facilement le passé, puisque le présent est, en tout temps, le résultat du passé. Lorsque tout va bien dans le présent c'est que j'utilise bien les apprentissages de mon passé. Lorsque tout semble aller mal dans le présent, il s'agit de la répétition de situations du passé, qui se présentent de la même façon ou de façon semblable. Comme ces répétitions se produisent parfois d'une façon qui semble si différente, nous ne reconnaissons pas immédiatement les situations précédentes qui ont été tout aussi mal vécues. Voilà pourquoi nous les répétons. Nous n'avons pas compris à ce moment-là ce que nous devions faire pour que cessent ses situations désagréables.

Une nouvelle situation survient pour aider à parfaire notre apprentissage chaque fois que nous n'avons pas appris à nous respecter, à nous aimer. Nous revivons le même type de situation désagréable avec la même tonalité ou couleur d'émotion jusqu'à ce que nous soyons prêts à faire des choix différents, jusqu'à ce que notre attitude ou notre perception devienne différente vis-à-vis ce genre de situations, d'événements ou de circonstances.

Pour illustrer et faciliter la compréhension de ce qui précède, j'utilise l'exemple du film *Le jour de la marmotte*[1] où l'acteur principal est Bill Murray. Dans ce film, le personnage principal revit des dizaines de fois la même journée. Chaque jour, dès son réveil, il survient exactement la même chose. Le même annonceur dit les mêmes mots au radio-réveil. Il rencontre toujours la même personne au même endroit et les mêmes mots sont échangés avec chaque personne rencontrée. Chaque instant de la journée est identique chaque jour. Nous pouvons nous rendre compte au bout d'un certain temps que cet homme a toujours le même comportement, la même attitude de jour en jour pour chaque situation identique rencontrée.

Ceux qui ont eu la patience d'écouter ce film jusqu'au bout, (plusieurs personnes m'ont dit s'être lassées de revoir toujours les mêmes scènes), se sont rendu compte que LA journée de cet homme a commencé à se transformer peu à peu, lorsqu'il a modifié une réplique, lorsqu'il a emprunté une rue différente, lorsqu'il a choisi une autre table au restaurant, lorsqu'il a porté un regard différent sur les gens qui l'entouraient. Lorsque son comportement et son attitude ont été complètement modifiés et qu'il a commencé à jeter un regard d'amour sur les gens et sur lui-même. Il s'est réveillé un beau matin, et ce n'était plus la même musique qui jouait au radio-réveil. À partir de ce moment, il en a été ainsi pour chaque instant de la journée qui était devenu différent, plus agréable, etc.

---

1. Version française du film *Groundhog Day*, 1993, réalisé par Harold Ramis.

Cet exemple illustre bien l'impact du passé sur notre présent. Si, à chaque instant du présent, je reproduis les erreurs du passé, je réagis de la même façon que par le passé aux situations désagréables ou irritantes, mon présent devient donc le reflet du passé. Dans cette optique, je dis souvent que, lorsque je me sens mal au présent, que tout semble aller de travers – que ce soit parce que je vis des situations désagréables ou que je sois malade –, c'est encore une fois que LE PASSÉ M'A REJOINT AU PRÉSENT.

Les gens qui souhaitent guérir ou transformer les situations actuelles s'inquiètent de ne pas se souvenir de certains événements du passé ou de ce qu'ils ont ressenti lors de certains drames ou situations difficiles de leur passé. Ils se découragent et ont peur de ne pas arriver à guérir ou à retrouver le bien-être, la paix ou la sérénité.

Il ne faut pas s'en inquiéter outre mesure puisque les événements du présent (apportant maladie ou mal-être) sont la réplique du passé. Donc, en exprimant toute la vérité sur ce qui se passe actuellement en rapport avec la maladie ou le mal-être, en exprimant en toute honnêteté tout ce qui est ressenti par rapport à ce qui se vit en ce moment, même relativement à une maladie plus ou moins grave, on peut libérer tout l'espace qu'occupe ce présent difficile en soi. De cette façon, les souvenirs du passé, les événements et les émotions (ressentis) peuvent refaire surface. **En exprimant tout**, en disant **toute la vérité sur le présent**, LE VOILE SE LÈVE SUR LE PASSÉ.

C'est ainsi qu'il devient plus facile de prendre conscience de ce qu'on a réellement vécu dans le passé et qu'on reproduit inconsciemment au présent. C'est dans cette nouvelle conscience qu'une personne peut faire de nouveaux choix, prendre des décisions différentes et porter un regard neuf sur les situations actuelles.

Les schémas de vie (patterns)

*L*e passé qui nous rejoint au présent provient aussi des façons de penser, des attitudes ainsi que des schémas de vie qui nous lient ou relient à nos parents et à tous ces êtres des générations précédentes qui forment le groupe de nos ascendants biologiques. Nous transmettons à notre tour ces mêmes schémas à nos descendants biologiques.

Situation conflictuelle : Les relations

Une personne qui éprouve régulièrement des difficultés dans ses relations, qu'elles soient amoureuses, amicales, familiales ou professionnelles et qui souhaite vivre des relations simples, sans complication et sans se sentir rejetée, devrait prendre le temps de vérifier comment cela s'est passé pour d'autres membres de sa famille, soit ses oncles et ses tantes, ses grands-parents, et même ses parents. Tant d'histoires cachées ou tout simplement non connues peuvent influencer nos vies sans que l'on en soit conscient. Tout cela est inconscient. Chacun reproduit les schémas de vie existant dans sa famille. Il faut dire que, la plupart du temps, nous naviguons dans la vie sur le mode *croisière* sans aucune conscience.

Tout va mal! Mais nous nous y sommes habitués. «C'est comme ça!», «Je n'ai pas le choix!», «Ce n'est pas grave, j'ai l'habitude», «Il faut travailler pour gagner son ciel», «Le travail c'est la vie», «Ça arrive dans les meilleures familles», «C'est arrivé et je n'y peux rien», etc. **Qui a dit que nous ne pouvions rien faire?** Naturellement, personne ne pourrait répondre à cette question puisqu'il s'agit là aussi d'un schéma, d'un pattern. Pourtant, **il est possible de ne plus revivre un schéma de vie** inconscient qui nous tient depuis si longtemps.

Depuis plusieurs années déjà, j'entends çà et là que TOUT EST POSSIBLE. J'ai donc décidé de relever le défi. Naturellement, comme pour le reste des informations contenues dans ce livre, j'ai choisi d'adapter ce «tout est possible» dans mon quotidien et, pour mieux expliquer ma compréhension de ce schéma, de vous parler de mes expériences personnelles. Je tiens à préciser que je partage ces histoires avec vous sans porter aucun jugement que ce soit sur les personnes qui m'ont permis de faire cet apprentissage d'un pattern que je vivais tout à fait inconsciemment. Au contraire, je leur en suis reconnaissante et, avec du recul, je souris en me remémorant ces expériences qui m'ont conduite là où j'en suis aujourd'hui, tant dans ma vie amoureuse que dans toute autre relation.

Comme je l'ai écrit précédemment, j'ai vécu une séparation et un divorce vers la fin de l'année 1999. Cet homme avec qui j'ai vécu environ 25 ans de ma vie a choisi de partir et de refaire sa vie avec une autre personne avec qui il est très heureux.

Cette personne avec qui il vit depuis quelques semaines après notre rupture est la même que celle avec qui il avait eu une aventure amoureuse, la troisième année de notre mariage. Vous pouvez imaginer ma surprise, quelque vingt ans plus tard, quand j'ai compris qu'il s'agissait de la même femme.

Voilà la pensée qui m'a traversé l'esprit : « *Mon Dieu ! J'ai passé vingt années de vie de couple avec une autre femme dans le placard* ». C'est comme si cette femme avait fait partie de mon couple pendant toutes ces années (de façon imaginaire naturellement). En fait, c'est comme si le père de mes enfants était resté auprès de moi par obligation, par devoir, au lieu de vivre cet amour qui se présentait à lui. Cela m'a semblé bizarre, surtout que nos enfants n'étaient même pas nés à cette époque.

Ma façon de penser par rapport à tout cela était celle-ci : Pendant près de vingt ans, j'ai vécu un triangle amoureux sans même le savoir. Et cela, même si leur aventure n'a pas continué pendant cette période. Pendant toutes ces années, cette femme a eu une place dans le cœur de l'homme que j'avais épousé.

Environ six mois après notre séparation, je me sentais seule, désabusée, rejetée, et je n'avais pas beaucoup d'estime de moi en tant que femme. J'ai donc fait un souhait, les yeux levés vers le ciel, un jour de juin où le ciel était magnifique, presque sans nuages, de rencontrer un homme qui me permettrait de retrouver mon estime de moi en tant que femme. Le soir même, une amie me propose d'aller dans un resto-bar où nous

nous rendions parfois. La serveuse nous offre de nous asseoir à la table d'un homme qui est seul, car aucune autre place n'est disponible.

En m'assoyant, je reconnais cet homme que j'ai rencontré un mois plus tôt à l'assemblée annuelle de l'association de thérapeutes dont je suis membre. Il avait remarqué ce jour-là la consœur qui m'accompagnait, mais je m'étais sentie «invisible» devant lui. J'ai même dû lui rappeler où nous nous étions rencontrés quatre semaines plus tôt. Il semblait ravi de cette rencontre. Nous avons passé une soirée très agréable. Nos yeux étaient rivés l'un sur l'autre à un point tel que l'amie qui m'accompagnait a dû nous écouter sans ouvrir la bouche pendant trois heures ou presque.

La semaine suivante, ce même homme me rappelle pour un autre repas en sa compagnie. J'accepte, et c'est à ce moment-là que je me suis mise peu à peu à retrouver l'estime de moi en tant que femme. Cette aventure s'est cependant avérée parfois pénible et ardue.

Quelques semaines plus tard, les circonstances font que je lui présente ma grande amie avec qui je partage un espace de travail et participe à des activités diverses. Mon «copain» s'est senti attiré vers elle dès l'instant où il a croisé son regard. Il ne s'est pas gêné pour lui faire des avances directes en ma présence. Inutile de vous dire que je me suis sentie comme si j'étais «une moins que rien». J'ai pensé alors que cet homme n'était sûrement pas la réponse à mon souhait de retrouver l'estime de moi-même.

Même si mon amie n'a jamais répondu à ses avances, je ne me sentais pas mieux. Ma plus grande erreur à ce moment-là a été de faire comme si cela ne m'atteignait pas. C'est de cette façon que j'ai MOI-MÊME rabaissé ma propre estime de moi. J'ai continué à voir cet homme, même quand il me disait avoir rencontré une autre femme avec qui il était sorti, etc. **Je ne me suis pas respectée**, et ce, à plusieurs reprises.

Contrairement à ce que je croyais, cet homme était réellement là pour me permettre de retrouver mon estime de moi. Comment? Il était là **pour que j'apprenne à me respecter**, et je manquais de respect envers moi-même chaque fois que je faisais comme si ses remarques et ses autres rencontres ne m'affectaient pas. J'ai commencé à retrouver cette estime de moi le jour où j'ai moi-même mis fin à cette relation amoureuse (qui n'a jamais vraiment existé), et qui n'était ni plus ni moins au bout du compte qu'une relation d'amitié sincère.

En y repensant bien, jamais il n'avait été clairement dit que *nous sortions ensemble*. Jamais il ne m'avait promis quoi que ce soit. Comme une adolescente, je m'étais entichée de lui et je m'imaginais que quelque chose de sérieux était possible entre nous. Pourtant, *être amoureuse de lui* m'aurait amené à vivre des triangles amoureux, l'un après l'autre, sans arrêt. Répétition de ce que j'avais connu dans ma relation de femme mariée. Cet homme m'appréciait suffisamment pour m'aider à saisir quelles étaient mes attentes par rapport aux relations amoureuses et je n'ai tout simplement pas compris les messages à ce moment-là.

L'été suivant, je rencontre un homme qui me dit avoir mis fin à une relation amoureuse néfaste pour lui et qui le rendait malheureux. Au bout de trois semaines de fréquentations, il m'annonce que nous ne nous verrons plus, car il retourne auprès de sa belle qui avait été mise au courant de cette relation que nous vivions, et qui voulait maintenant retrouver son prince charmant. Et vlan! pour Suzanne. Encore une fois, je m'étais lancée tête baissée dans le même genre de configuration. Un triangle amoureux se présente sous différentes formes.

Après cette mésaventure, j'ai pris de plus en plus conscience de ce schéma, où je me retrouvais toujours dans une relation à trois, et où j'étais perdante. En fait, à partir de ce moment-là, j'ai compris que, loin d'être perdante, j'en sortais au contraire gagnante puisque j'étais de plus en plus **consciente** de ce que je vivais. Forte de cette découverte, je me suis dit que ma prochaine relation sera différente.

Quelque temps plus tard, j'ai donc rencontré un homme divorcé depuis quelques années, qui vivait depuis trois ans en ermite, sans relation avec des femmes. Attirés l'un vers l'autre, nous commençons une relation irrégulière où nous nous rencontrons lorsque chacun de nous est libre et qu'il a du temps à consacrer à l'autre. C'était loin d'être une relation parfaite, mais je me sentais bien avec cet homme avec qui je faisais l'apprentissage de la douceur, de la tendresse et de l'affection. Je me sentais femme avec cet homme et cela me permettait de retrouver mon estime de soi à ce niveau.

Six mois plus tard, alors que nous nous voyions de moins en moins souvent pour toutes sortes de raisons, il m'appelle pour m'annoncer qu'il part, qu'il vend tout, et qu'il déménage à l'autre bout du pays. Je n'en croyais pas mes oreilles. Pendant notre relation, il avait rencontré *l'amour de sa vie*. Elle demeurait au loin et il partait la rejoindre et vivre avec elle. Une autre dégringolade pour ce qui est de l'estime de soi. *Une autre femme dans le placard.*

J'étais de nouveau prise dans un triangle amoureux, encore et encore. Là j'en avais assez! En témoignait d'ailleurs l'émotion qui a jailli lorsque j'ai sondé mon cœur avec l'aide de cette grande amie dont j'ai parlé plus tôt : «**On m'a encore laissé tomber pour quelqu'un d'autre!**»

Mon estime de moi est parvenue à son plus bas niveau à ce moment-là. Par contre, en explorant mon cœur, j'ai pu constater où je m'étais **trompée moi-même**. Est-ce vraiment les autres qui nous trahissent, où est-ce nous-mêmes qui nous nous trahissons en acceptant des comportements qui sont inacceptables pour nous? En effet, cet homme avait certaines dépendances, et je n'avais pas non plus l'intention d'avoir de relation durable avec lui. Je me faisais plaisir en m'efforçant de croire que tout était parfait puisqu'il m'apportait de l'attention, de l'affection et de la tendresse. Il avait également confiance en mon potentiel et m'encourageait beaucoup à persévérer sur le chemin professionnel que j'avais choisi.

En réalité, grâce à ces expériences vécues, j'ai enfin retrouvé mon estime de moi-même. Et pourtant, si j'avais refusé les comportements inacceptables dès le départ, je n'aurais pas vécu autant de difficultés, et j'aurais dépassé ce schéma de triangle amoureux plus rapidement.

Après cette période, j'ai choisi de prendre du temps pour bien assimiler et intégrer les découvertes que j'avais faites à mon sujet. J'ai concentré mon attention sur mes projets professionnels sans plus attendre de rencontrer *l'homme de ma vie.*

Plusieurs mois plus tard, j'ai fait la rencontre d'un homme qui m'a permis de mettre mon apprentissage en pratique. C'est-à-dire, me respecter et refuser ce qui m'est inacceptable comme comportement. C'est un homme honnête et, dès notre première rencontre, il m'a avoué qu'il était marié. À ce moment-là, je savais qu'il n'y aurait rien de possible entre nous, et je le lui ai dit. Comme nous avions du plaisir à discuter ensemble, j'ai fait preuve d'honnêteté en lui racontant mes déboires amoureux et en lui expliquant ce schéma dont j'avais choisi de me libérer.

Un jour, il m'annonce qu'il a choisi de quitter son épouse. Je panique un peu. Je lui dis de s'en abstenir s'il le fait dans le but d'une relation amoureuse avec moi. Je ne sais pas du tout si j'ai le goût d'avoir des relations plus poussées avec lui. Et, pour être tout à fait franche, j'en ai plus qu'assez du triangle amoureux.

Toutefois, j'ai aussi compris au cours des années qu'il est difficile d'apprendre sur soi sans être en relation avec les autres. Comment savoir si un schéma est enfin supprimé – comme une cassette qu'on efface –, si on choisit de rester seul. C'est dans nos relations interpersonnelles que nous pouvons mieux vérifier si nous avons enfin réussi à modifier nos comportements.

Quelque temps plus tard, même s'il sait que je ne ferai pas nécessairement partie de sa vie, il quitte son épouse. Comme nous étions devenus amis et que notre relation était agréable, nous avons continué à nous voir. Notre relation est devenue de plus en plus sérieuse. Nous avons fait mutuellement plusieurs apprentissages et combattu plusieurs peurs. Et nous nous y employons encore car nous vivons ensemble maintenant.

Pendant une certaine période, je me suis sentie coupable vis-à-vis de ce choix jusqu'à ce que je comprenne que je n'y étais pour rien. Il allait quitter son épouse de toute façon, c'était son **intention**, le choix sincère qu'il a fait pour lui, et non pour ou contre qui que ce soit. Mon choix à moi était et est encore de me respecter et de m'aimer suffisamment pour ne pas choisir d'être avec un homme seulement pour ne pas être seule. Avant même de le rencontrer, j'avais choisi de prendre plaisir à la vie en allant de l'avant et en réalisant mes propres rêves personnels et professionnels. C'est ce que je continue de faire depuis que nous nous connaissons et je l'encourage à réaliser ses propres rêves.

Nous comprenons tous deux maintenant que l'existence se vit au quotidien. Nous profitons de chaque instant de cette vie que nous partageons ensemble, et nous continuons d'apprendre au jour le jour le secret de la vie à deux, dans le respect de chacun de nous. Nous apprenons mutuellement à nous aimer nous-mêmes pour mieux aimer l'autre.

Lorsque nous ne nous respectons pas personnellement, il est difficile de réellement respecter l'autre dans ses choix et dans ses besoins. Nous savons quand l'autre fait quelque chose seulement pour nous faire plaisir, alors que cela lui est moins agréable. Nous en prenons conscience et nous le lui faisons remarquer pour qu'il respecte ses propres besoins. « Faire les bonnes choses pour les bonnes raisons. » Cette phrase me revient souvent lorsque j'ai des choix à faire.

Pour faire cesser un schéma, il s'agit de CHOISIR de le faire. Lorsque le choix est SINCÈRE et HON-NÊTE à l'égard de nous-mêmes, certains événements et diverses situations se présenteront à nous pour expérimenter encore ce schéma jusqu'à ce nous fassions aussi le choix de NOUS RESPECTER à chaque instant.

Quel que soit le type de relation, le fait de choisir d'être authentique offre à l'autre personne plusieurs choix. Elle peut choisir également d'être authentique et de se respecter tout en respectant l'autre, tout comme elle peut choisir d'adopter ses propres schémas en continuant de tolérer ce qui est inacceptable. Il faut tenir compte que de se respecter et d'être authentique, cela signifie aussi avoir à dire NON et même parfois s'en aller ou voir l'autre partir.

Peu importe le schéma relationnel difficile dans lequel vous semblez être *coincé*, prenez le temps de vérifier et d'observer ce qui vous arrive. Posez des questions auprès de membres de votre famille pour connaître leur histoire et l'histoire des générations précédentes. Certains membres de votre famille se sont peut-être mariés avec quelqu'un, même s'ils aimaient quelqu'un d'autre. Peut-être que votre grand-mère s'est mariée avec votre grand-père après que l'amour de sa vie soit mort à la guerre. Il est possible que certains de vos oncles et tantes aient vécu un ou des schémas semblables aux vôtres. Les schémas se reproduisent encore et encore, tant et aussi longtemps que l'on ne fait pas le choix réel, c'est-à-dire très profondément en nous, de cesser d'agir et de réagir de la façon habituelle pour enfin adopter de nouvelles attitudes.

Nous ne pouvons pas nécessairement changer le passé mais lorsque nous prenons CONSCIENCE que nous partageons les bagages émotifs de nos ascendants, nous avons le pouvoir de CHANGER LE PRÉSENT. Prendre conscience n'est toutefois pas suffisant. Il faut aussi modifier les anciennes façons de penser. Rien ne nous oblige à continuer l'histoire des autres. Si le passé des autres rejoint votre présent, prenez-en conscience et faites les choix nécessaires pour changer votre présent, et transposez-les en actions.

L'exemple mentionné précédemment relatait une histoire de triangle amoureux, cependant il y a plusieurs autres schémas qui affectent nos vies et nos relations :

- difficulté à prendre sa place ;
- ne pas réussir à mener un projet à terme ;
- ne pas réussir à avoir d'enfant ;
- ne pas réussir à maintenir une relation amoureuse durable ;
- difficultés sexuelles ;
- ne pas avoir d'emploi satisfaisant ;
- se sentir incapable d'aimer ou d'être aimé ;
- se sentir abusé, victime, abandonné, etc.

Je pourrais en énumérer des dizaines, mais je crois que vous pouvez vous-même continuer la liste en vérifiant ce qui dans votre vie semble revenir à répétition ou être impossible à réaliser pour vous. C'est un schéma de vie ou projet de vie dont vous avez sans doute *hérité* de vos ascendants, soit vos parents, vos grands-parents, vos arrière-grands-parents, vos oncles ou vos tantes, etc.

Ces schémas ou attitudes par rapport aux situations sont aussi les causes de bien des maladies. Certaines maladies sont, paraît-il, héréditaires. Le sont-elles vraiment? Comme les schémas forment les façons de penser et notre attitude par rapport aux événements, cela pourrait vraisemblablement indiquer que ce sont ceux-ci qui influencent l'hérédité. Ils nous ont été légués, ils font partie d'un héritage familial.

Pour guérir de la maladie ou se libérer d'un schéma de vie ou d'un projet de vie (appelé projet-sens en biologie totale des êtres vivants), il faut utiliser la même méthode. La prise de conscience des émotions et ressentis vécus dans la maladie permettra de découvrir la réalité et la vérité se camouflant sous cette maladie.

Les nouveaux choix

« *L a vie est comme une pièce de théâtre : lorsqu'une réplique est changée, la pièce entière revêt un autre sens.* »

Cette phrase m'est venue en regardant le film *Le jour de la marmotte* pour la deuxième fois quelques années après sa sortie. Je l'utilise souvent dans le cadre de mes ateliers pour démontrer qu'il est possible de faire des changements sans pour autant devoir faire des efforts insurmontables. Une réplique est une partie infime d'une pièce de théâtre. Pourtant, la modification d'une seule peut transformer toute l'histoire de cette pièce.

De la même façon, il suffit parfois de changer *une seule réplique* dans la pièce de théâtre de nos vies, soit un seul comportement ou une seule attitude, pour commencer le processus de transformation de schémas, de patterns, qui nous empoisonnent l'existence depuis longtemps. Il en va ainsi pour guérir puisque la maladie est le résultat de nos façons de penser, de nos attitudes par rapport à ce qui nous arrive, du regard que l'on porte sur les événements et les situations de nos vies.

Il s'agit donc de modifier notre regard, nos pensées relativement à ce que nous vivons au présent. Dans l'action, il suffit alors de changer çà et là une attitude erronée pour transformer les situations du passé qui se représentent encore et encore au présent. Voici un exemple illustrant une façon simple d'y parvenir.

Situation conflictuelle : Être invisible

Quelque temps après une réunion d'un groupe de femmes d'affaires, je rencontre une personne présente à cette réunion qui me dit : « Dommage que tu n'aies pas assisté à cette rencontre, cela a été très intéressant. » Pourtant, **j'étais bel et bien présente à cette réunion !**

Il semblerait que, pendant longtemps, j'aie été invisible. Pourtant, j'en ai pris vraiment conscience le jour où une dame m'a dit : « Je ne sais pas ce qui t'est arrivé mais je trouve que tu as beaucoup changé. Je ne savais pas que tu étais comme ça. Je t'ai toujours trouvée sympathique mais avant on ne te remarquait pas. Lors d'une réunion, je n'aurais jamais su dire si tu étais là ou non. »

Comment je suis devenue visible ? En prenant CONSCIENCE que j'étais là. En prenant conscience du moment présent. En m'impliquant dans l'instant que je vivais.

Pendant des années, j'ai toujours vécu de façon à ne pas trop me faire remarquer. Je détestais que les gens portent leur regard sur moi. J'ai toujours eu peur de ne pas être habillée de la bonne façon, de ne pas dire les bonnes choses ou d'être jugée, peu importe de quelle manière. Inconsciemment, j'étais une personne EFFACÉE. Je m'habillais de façon classique, toujours de couleur très passe-partout (en bleu foncé, en noir ou en beige). En groupe, j'évitais de donner mon opinion, de peur qu'elle soit différente de celle des autres, et que cela attire l'attention sur moi.

Lorsque je me suis retrouvée seule, j'ai commencé à trouver cela très ennuyeux que personne ne me remarque. J'aurais voulu qu'on note que j'étais triste et solitaire. Comme j'avais peur, je continuais à tout faire pour ne pas me faire remarquer.

Quand j'en ai eu finalement assez, j'ai changé l'un de mes comportements : je me suis mise à croiser le regard des gens et à leur sourire sans attendre qu'ils le fassent eux-mêmes. J'ai réussi ainsi à capter peu à peu l'attention des gens qui me souriaient en retour et, souvent même, engageaient la conversation.

Encouragée par le succès de ces premiers changements, j'ai ensuite modifié ma façon de me vêtir. Plusieurs personnes (ex-époux, enfants, etc.) m'avaient déjà fait la remarque que j'étais jolie mais que je l'étais encore plus lorsque je portais des couleurs plus éclatantes, néanmoins j'avais préféré ne pas les écouter. J'ose maintenant porter des couleurs plus vives et des vêtements un peu plus voyants. On me distingue de plus en plus.

Autre transformation apportée : oser exprimer mon opinion, même si elle est différente de l'autre personne, au risque de lui déplaire. Cela est devenu de plus en plus facile et les gens s'informent maintenant de mon opinion tout en s'intéressant à ce que j'ai à dire.

Ces quelques petits changements de comportements et d'attitudes ont opéré de grandes transformations dans la pièce de théâtre de ma vie. C'est ainsi que j'ai pu retrouver suffisamment de confiance en moi pour choisir de concevoir et d'animer des conférences et des ateliers où je partage le résultat de mes formations et apprentissages avec les gens, donc devant des groupes de gens.

Voilà comment une *réplique* que l'on change de temps à autre dans la trame de nos vies peut apporter un changement si énorme que jamais nous n'aurions même osé l'imaginer. La pièce de théâtre qu'est ma vie aujourd'hui est complètement différente de celle dans laquelle je jouais il y a sept ou huit ans. Tout cela m'est arrivé car j'ai choisi de changer certaines attitudes et divers comportements et dès que j'ai pris conscience que je n'avais plus le goût de rejouer la même scène encore et encore.

Situation conflictuelle : Prendre sa place

Connaître, prendre ou perdre sa place est un autre schéma qui affecte la vie de plusieurs d'entre nous. Dans celui-ci, nous remarquons, entre autres, que les gens de l'entourage nous envahissent facilement.

Se sentir invisible n'est qu'une partie de ce schéma représentant la difficulté de prendre sa place. Même si j'étais devenue *visible*, il me fallait maintenant connaître qu'elle était **la place** que je souhaitais occuper tant dans ma vie personnelle, affective, que professionnelle.

Comme je vivais autant dans la peur de ne pas avoir de place, de perdre ma place que de prendre la

place de quelqu'un d'autre, les événements surve-
naient dans ma vie de façon à me faire connaître toutes
les facettes de ces appréhensions. Peu importe ce que je
faisais, j'avais toujours l'impression de ne pas avoir de
place, ou de perdre ma place. J'avoue que j'emprunte
encore souvent cette voie bien que beaucoup de changements soient survenus depuis que j'ai pris conscience de cette problématique.

Au départ, ce schéma peut survenir lorsque vous
naissez après le décès de l'enfant vous précédant. Vous
prenez sa place dans le cœur de vos parents. Toute
votre vie, vous vous demandez, sans trop savoir pourquoi, si vous avez vraiment une place dans cette
famille. Par la suite, vous cherchez votre place dans des
groupes d'amis, autant à l'école que dans le voisinage.
Vous avez souvent l'impression d'être de trop. Puis,
vous vous rendez compte que cette peur grandit en
vous, la peur de perdre votre place, de ne pas avoir de
place, de ne pas être à la bonne place ou de prendre la
place de quelqu'un d'autre et cela se traduit de plusieurs façons. Voici quelques exemples :

1. Dès votre venue au monde, un autre enfant prend
   votre place auprès de votre mère. Il y a eu erreur
   de bébé à la pouponnière.

2. Vous ne comprenez pas pourquoi vous n'attirez
   pas l'attention de vos parents aussi facilement que
   votre frère aîné, ou que votre sœur qui est toujours malade.

3. Puisque que vos résultats scolaires sont excellents,
   vous ne recevez pas d'aide ou d'attention de vos
   parents au moment de faire vos devoirs.

4. Lorsque vous voulez vous joindre à d'autres pour jouer à un jeu, on vous dit qu'il n'y a plus de place, ou que vous n'êtes pas assez bon.

5. Bien que vous ayez les meilleurs résultats scolaires, c'est toujours les autres qui gagnent les cadeaux.

6. À l'adolescence, chaque fois que vous êtes attirée par un garçon, il choisit de sortir avec votre amie.

7. Quand un de ces jeunes hommes choisit enfin de sortir avec vous, vous perdez votre amie.

8. Au collégial, vous vous inscrivez à la spécialisation de vos rêves, et c'est une amie qui obtient de moins bons résultats scolaires que vous qui décroche la place qui restait.

9. Au travail, vous posez votre candidature à un poste qui vous apportera la promotion que vous souhaitez, et le directeur engage quelqu'un d'autre parce qu'il veut vous garder dans son service.

10. Dans votre vie de couple, une autre femme prend votre place dans le cœur de votre conjoint.

11. Dans votre vie professionnelle, vous avez toujours peur que quelqu'un soit meilleur que vous et prenne votre place chaque fois que quelqu'un vous dit: «As-tu entendu parler de telle ou telle personne, il paraît qu'elle est excellente dans ce qu'elle fait?»

12. Vous pensez que vous perdez votre place dans le cœur de vos enfants parce qu'ils choisissent d'aller vivre avec leur père ou à proximité.

13. Vous avez l'impression que les enfants de votre nouveau conjoint prennent toute la place et qu'il en reste peu pour vous.

14. Vous croyez que votre meilleure amie n'a plus de temps pour vous ou que vous n'avez plus de place dans sa vie.

15. Vous avez pris la place de quelqu'un d'autre dans une nouvelle vie de couple.

16. Vous occupez un bureau avec d'autres théra-peutes qui prennent toute la place. Ils choisissent l'aménagement et la décoration et ne vous laissent pas d'espace pour vos dépliants et accessoires.

17. Vous déménagez dans une autre ville et aucun membre de votre famille ne vient jamais vous visiter.

Il ne s'agit que de quelques exemples. Des centaines, voire des milliers d'exemples semblables sont vécus par chaque personne cherchant à «prendre sa place» ou à avoir sa place.

Pour chaque schéma ou pattern – peu importe le mot choisi pour décrire ces situations répétitives –, il est important de prendre conscience qu'ils s'appli-quent automatiquement à tous les secteurs de notre vie : famille, individu, amour, profession, etc. Naturel-lement, comme cela ne se manifeste pas nécessaire-ment de la même façon dans chacun de ces secteurs, cela peut parfois prendre un certain temps avant de saisir ce qui se passe.

À partir du moment où vous aurez déterminé l'attitude que vous souhaitez modifier en premier lieu, l'étape suivante sera de définir le secteur de vie (per-sonnel, familial, professionnel) où vous allez effectuer ce premier changement. Il ne sert à rien d'attaquer de front tous les secteurs à la fois. Quel que soit le secteur choisi, un mouvement de transformation se fera sentir dans tous les domaines de votre vie puisque **c'est vous qui changez et non les autres**.

Le plus difficile dans cet exercice qui consiste à **prendre sa place**, c'est d'établir quelle est «**sa**» place dans chacun de ces secteurs. Autrement dit, quelle place est réellement la vôtre.

Dans votre relation de couple, si votre vie n'est axée que sur les besoins de votre conjoint et de vos enfants, il se pourrait que vous n'ayez pas bien déterminé quelle était votre place. Comme pour toutes les autres situations de votre vie, ce schéma se traduit par la peur de déplaire aux autres. Pour ne pas décevoir ou frustrer les personnes qui vous entourent, et pour éviter tout conflit, il semble parfois plus facile de *s'effacer*, de devenir *invisible*, et ainsi de **prendre le moins de place possible**. Vous laissez toute la place aux autres qui, eux, pourront combler leurs besoins, leurs aspirations et leurs désirs.

Cela entraîne inévitablement des événements et situations où il ne semble plus possible de prendre sa place et de dire NON. Il vient un moment où plus personne ne s'informe auprès de vous si cela vous convient ou non. Vous vous retrouvez devant le fait accompli, que vous soyez d'accord ou non. Vous vous demandez si vous avez encore de l'importance pour ces gens avec qui vous vivez.

Cela occasionne un mouvement plus grand encore. Vous réalisez alors qu'il se produit des situations semblables dans votre vie professionnelle. Vous avez l'impression que ce sont vos clients qui déterminent quelles doivent être vos disponibilités, que ce sont vos collaborateurs qui vous disent ce que vous devez faire ou ne pas faire, ce que vous devez dire ou ne pas dire, etc. Et alors là, vous perdez pied. Vous croyez ne pas avoir d'intérêt aux yeux des autres. Il vous semble que tous les autres et les besoins des autres sont plus importants que vos propres besoins ou que vous-même.

Bien que nous aimions voir les gens heureux autour de nous, que nous désirions rendre service, il ne faudrait pas que ce soit au détriment de notre propre bonheur ou de notre bien-être.

Lorsque vos adolescents souhaitent faire une sortie, et que vous vous privez d'une activité que vous auriez aimé faire car vous devez les véhiculer, il serait bon de vous demander si vos enfants sont plus impor-tants que vous. Sinon pourquoi vous retrouvez-vous encore une fois à faire le taxi pour eux? Il en va de même avec votre conjoint qui *organise* ou *désorganise* tous vos week-ends, préférant jouer au golf ou effec-tuer une tout autre activité que celle que vous aviez prévue.

Voici une situation que j'ai vécue et qui survient probablement dans plusieurs familles. Si vous vivez ce schéma conflictuel consistant à prendre sa place, peut-être vous reconnaîtrez-vous dans cette histoire.

Un jour, j'ai remarqué qu'il était plus facile pour le père de mes enfants de pratiquer des sports et des acti-vités diverses, car il n'avait pas à *faire garder les enfants* puisque j'étais là. Comme il avait un horaire très rempli, il m'est arrivé souvent de devoir abandonner l'idée de m'inscrire à des formations ou activités, faute d'avoir une gardienne pour me remplacer. Je n'ai aucun souvenir qu'il ait dû s'empêcher de participer à quelque activité pour cette même raison. Est-ce que je dois le blâmer? NON. Je ne prenais pas ma place. Je n'avais aucune conscience de ce qu'était ma place ni de l'importance que j'avais le droit d'attribuer à ma personne. J'accordais plus d'importance au conjoint et aux enfants qu'à moi-même.

Le jour où j'en ai eu assez, et que je me suis choisie, j'ai expérimenté le côté inverse de cette médaille: je n'étais plus présente pour personne ni le conjoint ni les enfants. C'était un changement plutôt extrême et, quand je regarde tout cela avec du recul, je comprends ce qui est arrivé.

En effet, lorsque nous constatons qu'il nous faut effectuer des changements, nous examinons l'autre aspect de cette expérience avant de trouver un équilibre. Pour illustrer cela, nous pouvons prendre l'exemple d'un sport comme le golf. Lorsque votre balle se dirige beaucoup trop à droite, vous changez votre façon de faire et vous réalisez que, maintenant, votre balle se dirige trop à gauche. Peu à peu vous réajustez votre tir jusqu'à atteindre *le juste milieu*. Trouver le juste milieu peut se traduire par **rétablir l'équilibre**.

Quand une personne cherche à prendre sa place (ou à changer tout autre schéma), il se produit le même phénomène. À trop vouloir prendre sa place, elle prend parfois toute la place et elle se trouve alors à vivre le même conflit que si elle n'avait pas sa place. Dans l'un ou l'autre cas, elle éprouve invariablement les mêmes contraintes.

Les nouveaux couples, ou les familles dites reconstituées ayant ce schéma, doivent souvent faire face à des situations conflictuelles impliquant *la place de chacun* dans ce nouvel espace. Imaginez seulement les adultes de cette nouvelle famille. Supposons que l'homme, comme la femme, avait l'habitude de s'occuper de cuisiner, de faire l'épicerie ou la lessive, etc. Avant de trouver un équilibre convenable, chacun d'eux aura l'impression que l'autre prend sa place. Et cela, jusqu'à ce qu'ils choisissent ce qui importe le plus pour chacun d'eux et qu'ils définissent ce que doit être leur place respective dans ce nouvel espace.

Par ailleurs, quand il y a en plus des enfants, l'effet se fait ressentir encore davantage. Qui choisit les émissions de télévision? Qui répartit telle ou telle chambre? Qui choisit telle ou telle place autour de la table? Qui choisit la décoration? Qui décide des sorties à faire? Le groupe composé du plus petit nombre de gens peut se sentir **envahi** très rapidement dans cet espace que se partage maintenant plusieurs autres membres, surtout si un homme seul se retrouve du jour au lendemain dans une famille recomposée d'une femme et de ses trois enfants.

Bien entendu, l'adaptation pour lui se fera manifestement sentir et bousculera incontestablement ses anciennes habitudes. Pour se sortir de cet envahissement de son espace vital où il ne trouve plus sa place, il peut arriver qu'il cherche, pendant un laps de temps plus ou moins long, à **prendre toute la place**. Cela devient désagréable pour tout le monde, jusqu'à ce qu'il trouve enfin sa place légitime. Dans certains cas, l'équilibre sera atteint lorsque cet individu aménagera un espace réservé à son usage personnel où il ne se sentira pas envahi.

Jany, une amie qui m'est chère, est designer d'intérieurs. À partir de ses connaissances et de ses expériences acquises au cours de plusieurs formations et organisations, elle suggère aux gens qui forment une *famille recomposée*, qu'il s'agisse de deux personnes ou plus, de choisir et d'aménager un espace personnel où chacun aura sa place sans se sentir envahi ou être envahi par les autres. Cela évite de perdre sa place ou de prendre toute la place. J'ai trouvé ce conseil judicieux et je l'ai mis en pratique mais... NON SANS MAL.

Ma peur de déplaire et de ne pas être aimée m'empêchait de passer à l'action. Plusieurs options s'offraient pourtant à moi :

1. Ne rien changer et continuer d'être malheureuse de ne pas avoir d'espace personnel.

2. Quitter ce conjoint et ce domicile, et être profondément attristée d'avoir mis fin à cette relation.

3. Choisir et installer un espace qui deviendrait mon espace personnel pour les besoins de mon travail et pour préserver mon intimité.

J'ai choisi la troisième option au risque d'en subir des conséquences qui pourraient s'avérer tout aussi douloureuses que dans les autres options. Je me suis appropriée une toute petite pièce où j'ai installé mon bureau et mon équipement informatique, et j'ai choisi de ne pas permettre aux autres d'utiliser cette pièce ni l'équipement. OUI, j'ai déplu aux autres. OUI, je me suis heurtée à leur insatisfaction, et il s'en est suivi *une zone de turbulences* importante.

Bien entendu, j'ai eu peur d'avoir à quitter ce conjoint, cette maison, et de devoir prendre un autre chemin. J'ai failli changer d'idée et revenir sur ma décision de préserver cet espace pour moi. J'ai tenu bon malgré la tempête. Et, comme toute tempête, elle s'est calmée. Le soleil a refait surface. Je suis encore à cet endroit que je partage avec le même conjoint et ses enfants. Malheureusement, les enfants ont choisi de venir moins souvent, comme suite à ma décision (cela a d'ailleurs été le moment le plus difficile et le plus triste de la tempête).

Après avoir vécu de la culpabilité et des émotions de toutes sortes, je me suis rendu compte que ma décision était la bonne. En faisant ce choix, je ne cherchais pas à nuire à qui que ce soit. Je réalisais simplement quelque chose pour moi, pour mon bien-être, pour me permettre de partager de façon plus harmonieuse cet espace, cette maison où maintenant résidaient deux familles différentes. Il est à noter que ces quatre étrangers avaient TOUS à travailler ce même schéma conflictuel : **prendre sa place**.

En effet, chaque personne rencontrée et avec qui j'ai vécu une relation de triangle amoureux, **avait aussi ce schéma** programmé en elle. Chaque personne qui me faisait me sentir invisible vivait aussi ce conflit, même si parfois il se manifestait par l'effet contraire : tout faire pour ne pas être invisible et être ainsi plus visible que nécessaire. Comme nous le précisions précédemment, si quelqu'un cherche à prendre sa place, il peut être appelé à vivre ce scénario autant en prenant toute la place qu'en ne s'accordant aucune place. Dans tous les cas, lorsqu'on est affecté par un type précis de schéma de vie, nous entrons généralement en relation avec des gens qui ont le même. **Et il en est ainsi pour tous les schémas, quels qu'ils soient**.

Lorsque vous avez un schéma particulier, soyez assurés que les gens avec qui vous serez en relation vous offriront tout le loisir de vous pratiquer. C'est ce que je comprends maintenant, de jour en jour, à force d'expérimentations.

Les désirs, les intentions et les choix

*C*ertains disent qu'il est important de DÉSIRER. D'autres, tout comme Neale Donald Walsch, auteur des livres *Conversations avec Dieu*[1], affirment que c'est L'INTENTION qui importe. Mais ici, dans *Les maux pour le dire... simplement*, la notion de CHOIX revêt beaucoup d'importance.

Le DÉSIR est un sujet que M. Gérard Athias a abordé dans sa formation *Mise à jour en biologie totale des êtres vivants* au mois d'août 2004. À ce propos, il a mentionné que le désir était important pour permettre de définir ce qui **manque** à un individu. Cette nouvelle information m'a amenée à porter un regard différent sur le désir. Un regard plus sain, plus créatif.

Le **désir**, c'est de souhaiter posséder quelque chose ou de réaliser quelque chose. Tant que je désire, je ne fais que désirer, et il ne se passera pas grand-

---

1. Un condensé du premier tome de *Conversations avec Dieu: Un dia-loque hors du commun* a été produit aux éditions Un monde différent sous format de disque compact.

chose. Souvent les gens vont utiliser le mot désir alors qu'ils veulent nous parler de leurs intentions.

Le **manque**, c'est une insuffisance ou une absence de ce qui est nécessaire.

En examinant le désir de plus près, en bon observateur, il devient possible de découvrir ce qui manque à sa vie personnelle. Désirer posséder une personne ou s'approprier un objet précis, cela tourne souvent à l'obsession. Une telle envie sert à mettre en évidence un manque précis. En déterminant de quel manque il s'agit, il sera plus facile de combler le besoin réel qui peut être tout à fait différent de l'objet du désir au départ.

Assouvir son ou ses désirs sans prêter attention aux manques provoque des situations conflictuelles. Prenons l'exemple d'une personne qui choisit de satisfaire une forte attirance sexuelle pour quelqu'un d'autre que son conjoint. Une fois l'expérience terminée, elle se retrouve avec le même manque qu'auparavant, en plus d'avoir fait naître dans sa relation de couple une nouvelle situation difficile.

Pour réaliser l'un de ses désirs irrésistibles, une autre personne décide d'acheter un téléviseur à écran géant. Faute d'argent, elle opte pour la solution de paiements différés. Oui, elle a enfin obtenu l'objet de ses désirs. Cependant, son manque d'argent s'est accru davantage avec cette dette supplémentaire.

Souvent, un manque dénote simplement un besoin d'exprimer ou d'expérimenter quelque chose de nouveau, de différent, afin d'utiliser son surplus d'énergie ou sa créativité. Avant de croire qu'il s'agit d'un problème de couple, ou qu'on ne peut vivre plus longtemps sans acquérir un objet particulier, il est bon de s'arrêter et d'observer ce qui se passe, de vérifier ce qui est insuffisant dans sa vie pour susciter un tel désir. En reconnaissant ce que ce manque représente, il sera possible de trouver la manière qui convient le mieux pour le combler.

Désir : changer de maison

Depuis un certain temps, je *désire* changer de maison. Je *désire* avoir une très grande maison à la campagne qui me permettrait d'aménager sur place mon espace de travail pour la consultation privée et de louer des locaux à d'autres thérapeutes pour travailler en équipe dans un sens commun, avec la mission d'aider les autres à s'aider eux-mêmes.

Qu'est-ce qui m'amène à éprouver un tel désir ? Ce désir qui prend toute la place et qui m'empêche d'apprécier ce que j'ai actuellement.

Il me **manque** de la place pour travailler adéquatement à l'endroit où je loue un espace de travail. Je dois partager une petite surface avec d'autres thérapeutes et je ne peux m'installer à mon goût ni aménager l'espace selon mes besoins. Je me sens comme si je n'avais pas ma place. Il en est de même pour la maison où je vis. La superficie y est restreinte et chaque personne qui y vit est limitée dans ses mouvements et sa créativité. J'éprouve donc un **manque d'espace**.

S'il semble impossible, pour l'instant, d'acheter une nouvelle propriété plus grande et offrant plus d'espace pour le travail, quelles sont les autres options ?

– Cesser la location à l'endroit de travail et trouver de nouveaux locaux.

– Faire part de ce désagrément au propriétaire pour obtenir un autre espace de travail répondant davantage aux besoins immédiats.

– Effectuer des transformations au lieu de résidence actuel pour aménager un local de travail et des espaces supplémentaires pour les habitants.

– Etc.

En réalité, le désir sert à déterminer un ou des manques. On comprend alors toute l'importance de la notion de manque puisque c'est celle-ci qui permet d'établir **les besoins réels** de l'individu. Toutefois, pour réussir à spécifier les besoins réels, il faut d'abord exprimer les émotions suscitées par ce qui semble insuffisant à ce moment-là. En levant le voile sur ces émotions, on fera enfin la différence entre ce qui semble manquer et ce qui manque réellement.

L'intention est la détermination, la volonté d'une personne à accomplir une action ou à réaliser un projet.

Donc, l'INTENTION fait aussi partie intégrante d'un *manque* camouflé en *désir*. Dans l'exemple précédent, l'intention profonde est cachée dans ce désir d'acquérir une très grande propriété.

Quelle est mon intention ou quelles sont mes intentions par rapport à cette grande propriété?

a) La réalisation commune de projets différents que nous avons mon compagnon et moi. Il rêve d'une propriété à la campagne avec plusieurs hectares de terrain pour s'adonner aux plaisirs d'être «gentilhomme fermier» et d'en faire éventuellement un lieu d'agrotourisme.

b) De plus, je souhaite avoir suffisamment d'espace pour aménager mon bureau de consultation à la maison. Je rêve aussi de pouvoir compter sur des locaux supplémentaires afin de regrouper des thérapeutes pour travailler ensemble en santé parallèle. Une grande maison à la campagne, en pleine nature, à proximité des animaux, des arbres, des fleurs, du calme et de la paix, ce me semble un site idéal pour favoriser la santé.

Mon intention est une répartition équitable de l'espace et de l'environnement de travail pour entretenir entre les thérapeutes eux-mêmes et avec la clientèle une relation agréable et enrichissante. Tout cela dans un climat d'accueil et de bien-être où chacun sentira qu'il a sa place et qu'il est «à sa place».

Comme vous pouvez le constater, ces intentions me permettent à la fois d'avoir MA PLACE et d'AMÉNAGER MON ESPACE selon mes besoins et mes goûts, et de combler les manques cachés sous mon désir.

Comme je le mentionnais précédemment, il est parfois difficile dans le «moment présent» de réaliser les projets désirés et de mettre en œuvre nos intentions. Il faut alors faire des CHOIX pour satisfaire les manques de façon temporaire ou permanente. Cette façon de faire s'applique également pour la guérison de maladies ou la transformation de schémas de vie.

Les choix sont des options que nous définissons à partir des besoins que nous avons découverts selon les manques observés. Vous pouvez encore une fois vous reporter à l'exemple précédent pour examiner les options possibles et découvrir par vous-même d'autres choix et possibilités.

Même quand nous croyons ne pas avoir le choix, il y a encore des choix possibles. Nous avons tout au moins le choix de croire que nous n'avons pas le choix et le choix de croire que nous l'avons.

Choix d'espace de travail

D'une part, je peux me dire que je n'ai pas le choix de rester où je suis (espace loué dans un centre de santé), si je crois ne pas avoir les moyens de transformer la maison que j'habite en ce moment ou les moyens d'acheter une plus grande propriété.

D'autre part, j'ai le choix de chercher un autre local dans un autre centre, pour enfin avoir l'espace et la possibilité d'aménager cet endroit à mon goût.

OU

Je peux également aller discuter avec le propriétaire de l'endroit où je loue l'espace actuel pour vérifier les autres options qui s'offrent à moi à l'intérieur du centre.

OU

Je réunis quelques thérapeutes et nous louons des locaux en groupe pour combler nos désirs, nos intentions et nos choix communs.

Cet exercice pour découvrir et explorer les différentes options qui s'offraient à moi m'a permis de comprendre que *j'avais les moyens d'aménager un bureau d'affaires à mon domicile.* Tout à coup, c'est devenu évident que je pouvais le faire. Le coût d'une location annuelle dans un bureau d'affaires était identique à ce qu'il en coûtait pour transformer une partie du garage attenant à la maison en bureau de consultation. C'est donc l'option que j'ai choisie et je suis très heureuse de ce choix.

Choix d'emploi

« Je déteste mon travail mais je n'ai pas le choix, je dois le garder parce que j'ai besoin d'argent. »

Il est vrai que d'avoir un emploi est vital puisqu'il est nécessaire pour la survie de l'individu et de sa famille. Quels sont alors les choix possibles?

– Observer et découvrir ce qui me déplaît dans cet emploi. Quels sont les manques observés?

– Est-ce possible de discuter avec le directeur pour améliorer ma situation au travail?

– Y a-t-il un autre poste qui conviendrait mieux à mes aspirations et compétences?

– Est-ce que je peux choisir d'apprécier ce travail pour l'argent que je reçois en échange et qui permet à ma famille d'être nourrie et d'avoir un toit sur la tête?

– Est-ce possible, tout en conservant cet emploi, de faire des études et de suivre des formations qui me permettraient d'améliorer mon statut professionnel?

– Est-ce possible, tout en demeurant à ce poste, de faire de la recherche pour un emploi plus satisfaisant et répondant plus à mes besoins?

–   Est-ce possible de faire évaluer mes qualifications par un professionnel pour connaître les différentes avenues qui pourraient être intéressantes ?

Êtes-vous bien certain de ne pas avoir le choix ? À chaque instant, il est possible de faire de nouveaux choix en choisissant simplement qu'il en soit ainsi. Toutefois, ceux-ci peuvent s'avérer différents de ce que vous concevez comme *choix* habituellement.

À présent, à partir de vos désirs, vous pouvez déterminer vos manques, vos besoins non comblés. À partir de ces manques, vous pouvez reconnaître quelles sont vos intentions réelles, vos intentions profondes par rapport à vous-même et à vos projets. Lorsque vous avez reconnu vos intentions et motivations profondes par rapport à un rêve, une guérison, ou tout autre changement projeté, vous faites des choix, des choix nouveaux. Vous établissez une liste des options qui vous conviennent et vous choisissez, parmi ces options, laquelle vous semble la plus appropriée À CE MOMENT-LÀ, laquelle peut être mise en ACTION dès maintenant.

Comme il est important d'intégrer toutes ces informations par l'expérimentation et la pratique, je vous propose de répondre par écrit aux questions suivantes. Aussi, je suggère de faire cet exercice en vous centrant sur votre cœur. Sinon, une fois de plus, vous analyserez chaque mot que vous écrirez et vous vous priverez ainsi de découvrir ce qui se passe au fond de vous. Vous seul détenez les réponses et solutions qui vous conviennent le mieux.

•   Quel est mon plus grand DÉSIR en ce moment ?
•   Quel est le manque ou quels sont les manques que j'observe dans ce désir ?

- Quelle est mon intention profonde et réelle pour réaliser ce rêve, ce projet?
- Quels sont mes choix, mes options pour l'instant?
- Quelle est l'option que je choisis de mettre en action pour l'instant?

Il est temps maintenant de passer à l'action.

Passer à l'action

Quel moment excitant et effrayant tout à la fois!

Lorsque vous avez enfin dépassé cet instant où vous vous dites que vous n'avez pas le choix et que vous avez découvert toutes les possibilités qui s'offrent à vous – les grandes comme les plus petites – il est impératif de les mettre en œuvre. Vous seul pouvez le faire. Et, comme le dit le proverbe: «Il n'y a que le premier pas qui coûte.» Le plus difficile ensuite, c'est L'ATTENTE DU RÉSULTAT.

Mais justement, AGISSEZ SANS ATTENDRE DE RÉSULTAT PRÉCIS! Prenez l'initiative et mettez en action ce que vous avez choisi de faire sans attente précise. L'attente d'un résultat défini avec exactitude, à une date prédéterminée, entraîne le risque de perdre plusieurs occasions d'améliorer votre situation.

La maison de vos rêves

Depuis un certain temps vous recherchez la maison de vos rêves, soit une maison de style rustique située à la campagne. Selon vos intentions, celle-ci doit répondre à certains critères que vous avez préalablement définis. Chaque fois que vous pensez à cette maison, vous la visualisez de couleur blanche avec de jolis volets bleus aux fenêtres. Plusieurs mois après le début de vos recherches, un agent d'immeubles vous propose une magnifique maison dans le secteur désiré.

En fait, elle répond à tous vos critères, sauf un. La maison est verte, de la même couleur qu'un poivron, et les volets sont de couleur jaune moutarde. Vous croyez que ce n'est pas la maison que vous recherchiez car elle n'a pas l'apparence espérée. Pourtant, la maison est sise au bon endroit et tous vos besoins seraient comblés, mais vous ne la reconnaissez pas. Le résultat que vous attendiez était une maison blanche avec des volets bleus. Vous ne l'achetez pas et vous continuerez à chercher cette maison dont vous rêvez pendant des années.

Laissez la vie « installer » pour vous ce qui vous convient le mieux, selon L'INTENTION PROFONDE que vous avez mise dans cette action, peu importe que le résultat soit identique à celui auquel vous vous attendiez.

Un choix de carrière

Choisir de quitter une entreprise après y avoir travaillé pendant vingt ans pour devenir infographiste et se retrouver quelque temps plus tard thérapeute en santé non conventionnelle, c'est peu commun, et c'est pourtant ce qui m'est arrivé.

Mon **désir** était de m'établir à mon compte, car j'en avais assez de faire un travail qui ne me semblait pas utile à qui que ce soit. Au départ, je souhaitais devenir travailleuse autonome à titre de secrétaire à la pige.

Mon **intention** profonde était d'aider des gens, de leur rendre réellement service. Je voulais faire quelque chose qui ferait une *différence* dans leur vie.

En faisant le **choix** de quitter cette entreprise, même si je renonçais à plusieurs avantages tels que le fonds de pension, ma première **action** a été de commencer à trouver des clients avant de quitter l'entreprise. J'ai réussi, sauf que ce que l'on me demandait de faire ressemblait davantage à de l'infographie qu'à du secrétariat, et j'ai dû suivre des cours d'infographie et de mise en pages.

Somme toute, voici les **actions** que j'ai mises en œuvre dans le but de devenir *secrétaire à la pige* avec pour **résultat obtenu** : que je suis devenue *infographiste à la pige*. Que de belles expériences j'ai vécues et quelles découvertes extraordinaires j'ai faites.

De plus, **l'intention** profonde d'*aider les gens* et de *faire une différence dans leur vie* était **lancée**. Quelles que soient les actions effectuées ou les mesures que je prenais, les gens qui se retrouvaient sur mon chemin me guidaient lentement mais sûrement vers la médecine parallèle.

Un jour, j'ai dû faire d'autres choix et poser d'autres gestes qui m'ont amenée à devenir praticienne en réflexologie intégrale. Si quelqu'un m'avait dit, au moment de ma première démarche pour devenir travailleuse autonome, que je serais thérapeute un jour, je lui aurais ri au nez. Pourtant, c'est ce qui est arrivé.

Voilà ce que signifie l'expression «SANS ATTEN-DRE DE RÉSULTAT»! Il s'agit de faire une action, et puis une autre, et encore une autre, et d'observer où cela nous mène. Je me sens bien, je continue dans ce sens. Je me sens mal, je fais de nouveaux choix et de nouvelles actions. C'est simple. Cependant, cela nous semble bien compliqué puisque notre façon de penser, d'exister, de survivre, nous empêche de découvrir cette simplicité dans le courant de la vie.

Notre plus grande crainte, par rapport à cette sim-plicité de la vie, est la peur du changement. Certains ont peur que leurs nouveaux choix et que leurs actions les poussent à devoir quitter leur conjoint ou leur emploi, ou à s'éloigner de leurs amis ou de leur famille.

Si ce genre de peur vous habite, je vous suggère de relire le chapitre sur les désirs, les intentions et les choix. Si mon choix ou mes intentions ne m'amènent pas à quitter mon conjoint ou mon emploi ni à m'éloi-gner de mes amis ou ma famille, mes choix et mes actions ne m'entraîneront pas non plus dans ce sens. Si cela devait quand même arriver, c'est que vous aviez sans doute déjà cette intention profonde au fond de vous, consciente ou non, mais que vous vous la dissi-muliez à vous-même.

Cela nous ramène à la VÉRITÉ, l'INTÉGRITÉ et l'HONNÊTETÉ par rapport à soi-même. Avez-vous déjà pensé que plusieurs situations désagréables et dif-ficiles se reproduisent à cause de ce manque d'honnê-teté vis-à-vis vous-même?

Récemment, une dame m'a déclaré ceci: «Je ne guérirai pas car je ne quitterai pas mon mari». Il est à noter qu'en aucun temps je n'avais fait allusion à cela.

Je n'ai pas suggéré à cette dame qu'il vaudrait mieux qu'elle quitte son mari si elle voulait guérir.

C'est donc qu'au plus profond d'elle-même, elle savait que son dérèglement physique était intimement lié à sa relation avec son conjoint. Elle se demandait depuis longtemps si elle avait fait le bon choix puisqu'elle souffrait de ce mal depuis des années, c'est-à-dire peu de temps après son mariage. En réalité, elle n'a pas à quitter son conjoint pour guérir. Il lui suffit de reconnaître son intention profonde, sa motivation de continuer cette relation, de faire de nouveaux choix, de trouver les options qui lui conviennent le mieux pour retrouver un bien-être à l'intérieur de ce couple et de poser des gestes dans cette voie, une action après l'autre, jusqu'à ce qu'elle retrouve l'équilibre recherché. Si, au bout du compte, le couple devait se séparer c'est que l'intention profonde était dans ce sens.

Personne ne peut choisir pour nous. Personne d'autre que nous ne peut mettre en action les choix que nous faisons. Nous ne pouvons que solliciter de l'aide extérieure pour nous guider. Ne laissez personne – des amis, des membres de la famille ou des thérapeutes, peu importe leur titre –, faire un choix à votre place.

Dans la pièce de théâtre qu'est notre vie, souvenez-vous qu'il s'agit parfois simplement de poser une toute petite action, un geste ou un regard différent sur une situation pour amorcer un processus de transformation. La plus belle et la plus grande de ces petites actions est l'honnêteté. Devenir honnête envers soi-même permet une vision élargie des options et des choix qui s'offrent à nous. S'avouer la vérité en toute simplicité, humilité et honnêteté, c'est accepter la réalité de ce que nous ressentons vis-à-vis toute situation de notre vie.

Entreprendre un processus de changement est excellent. Persévérer dans cette voie l'est tout autant. Toutefois, il est bon de remettre à jour régulièrement ses intentions, ses choix, ses options et les actions à entreprendre pour s'assurer que le cap n'a pas changé, que nous sommes toujours sur le bon chemin... sans attendre un résultat précis !

Les peurs et les barrières

*C*ertaines personnes rebroussent chemin devant des barrières qui leur semblent infranchissables dans leur cheminement vers l'atteinte de leur but. Quels que soient les choix et les actions définis, il semble parfois impossible de réaliser tel projet ou de guérir de telle maladie. Le découragement s'installe et souvent les plus beaux projets sont mis de côté ou complètement délaissés.

Pour comprendre comment faire tomber ces barrières, les franchir, sauter par-dessus ou les contourner, considérons, par exemple, des situations simples et banales de la vie avant de nous lancer et de vouloir saisir la situation la plus compliquée ou la plus importante qui soit. En testant à plus petite échelle ce mode de fonctionnement, il deviendra plus simple de comprendre comment s'y prendre dans le quotidien pour les réalisations et les projets futurs.

Reconnaître les barrières

Pour RECONNAÎTRE ses barrières, il faut découvrir leurs NOMS. Il faut être capables de les nommer, de mettre des mots sur la situation. Quand la peur s'installe, je ne peux parvenir à dépasser celle-ci tant et aussi longtemps que j'ignore de quoi j'ai peur. Si une barrière m'empêche d'avancer, d'aller de l'avant, je dois découvrir son nom et choisir ce qu'il convient de faire par rapport à cette barrière en particulier.

Situation conflictuelle : L'argent

Pour notre premier voyage hors du pays, nous avons choisi, mon compagnon et moi, d'aller au Mexique. Nos finances personnelles étant limitées, nous avons opté pour un séjour tout compris pour nous éviter toute surprise ou désagrément financier au retour du voyage.

Rendus au Mexique, même si plusieurs activités et loisirs étaient compris dans le prix du forfait, les sorties et les activités qui nous intéressaient le plus n'en faisaient pas partie. Après nous être informés des prix auprès de la représentante de l'agence de voyage pour une sortie aux ruines mayas et une randonnée en mer sur le plus grand catamaran d'Amérique, nous apprenons que nous devrions payer environ 500 $ américains. Connaissant l'état de nos finances, nous sortons déçus de cette entrevue car nous savons parfaitement que de choisir de faire ces sorties nous endetterait.

Le lendemain matin, nous bougonnons. Nous ne savons que faire de notre journée car nous ne sommes ni l'un ni l'autre du type *lézards sur la plage*. Lorsque je m'aperçois de notre mauvaise humeur, je me dis que si nous voulons passer une belle journée, il est temps d'utiliser les outils avec lesquels je travaille habituellement.

Avant d'en parler à mon compagnon, je vérifie pour moi-même quelles sont les barrières «réelles» qui m'empêchent de faire ces sorties.

1. L'argent;
2. Le temps et la distance (il ne reste que quatre jours au voyage et je veux profiter de tous les instants).

J'explique ensuite à mon compagnon la démarche que j'ai faite et lui demande de faire la même. Voici ses barrières :

3. L'argent;
4. Le temps et la distance (ces sorties sont organisées pour toute une journée à cause du temps qu'il faut consacrer à chaque activité et de la distance pour s'y rendre).

Voici les questions que nous nous posions mutuellement par la suite :

«Si tu avais l'argent, est-ce que tu irais?» La réponse était OUI.

«Si tu avais le temps et que la distance n'avait pas d'importance, est-ce que tu irais?» C'était encore un OUI bien senti.

Comme nous étions d'accord, nous avons choisi d'abaisser ces barrières et de prendre rendez-vous avec la représentante pour réserver nos places. Il était 9 heures du matin et notre rendez-vous était fixé à midi.

Notre bonne humeur était revenue et nous avons choisi d'aller faire du vélo dans le village en attendant l'heure du rendez-vous. En explorant une partie du village qui nous était encore inconnue, nous avons découvert un kiosque d'information touristique. Nous y sommes entrés pour nous informer des prix pour les deux activités que nous voulions faire et des moyens de transport pour s'y rendre. Il s'est avéré qu'il coûtait 2,50 $ américains pour visiter les ruines mayas et 1,50 $ de transport en utilisant l'autobus qui passait sur l'autoroute située à 15 minutes de marche de notre hôtel. Le préposé nous a aussi indiqué où trouver le capitaine du catamaran. Avec ce dernier, nous avons marchandé notre randonnée à 90 $ américains chacun. Coût total : moins de 200 $ américains pour les deux activités.

Naturellement, nous avons annulé notre rendez-vous avec la représentante de l'agence de voyage et nous avons fait nos sorties pour une fraction du prix, car maintenant nous avions L'ARGENT. De plus, le TEMPS et la DISTANCE n'avaient plus d'importance.

- Nous avons RECONNU nos barrières.

- Nous avons CHOISI de les abaisser.

- Nous avons obtenu des RÉSULTATS au-delà de nos espérances, **puisque nous n'attendions aucun résultat**. Nous avons simplement suivi notre **intention** première (visiter les ruines mayas et faire une randonnée sur l'océan, sur un immense catamaran).

Il est essentiel de mentionner ici qu'en aucun temps nous n'avons pensé que la situation prendrait cette tournure agréable pour nous. Nous avions fait un choix clair et sincère peu importe le prix. C'est ce qui a permis ces instants magiques où tout s'est arrangé selon nos moyens et nos besoins.

L'honnêteté, l'intégrité et la vérité sont importantes dans ce processus de peurs et de barrières, comme dans tout autre processus. Ainsi, rien ne sert de se faire croire que nous *n'avons pas les moyens* quand c'est faux, ou de RECONNAÎTRE une barrière d'argent quand il n'y en a pas. Il faut discerner les VRAIES barrières, celles qui font réellement peur, celles qui paralysent ou font rebrousser chemin.

Dans cet exemple, il n'y avait pas de situation dramatique ou accablante. Il s'agissait simplement d'une situation typique du quotidien à laquelle nous devons continuellement faire face. Dans des situations plus importantes ou plus graves, le processus reste le même.

Situation conflictuelle : Nouvelle carrière

Grâce aux exemples relatés jusqu'à maintenant, vous avez pu prendre connaissance de mon cheminement professionnel. De secrétaire pendant plus de vingt ans au service de la même entreprise, je suis devenue travailleuse autonome en tant que secrétaire et infographiste à la pige. Ensuite, j'ai tout quitté pour devenir praticienne en réflexologie intégrale. Maintenant, je suis aussi conférencière et animatrice d'ateliers de mieux-être.

D'une étape à l'autre, j'ai connu des peurs affreuses et j'ai dû faire tomber plusieurs barrières. Chaque fois, l'étape (les barrières) que je franchis me semble la pire. Pourtant, la suivante est encore encombrée de barrières. Toutes les fois, des barrières nouvelles ou des barrières qui n'ont été que contournées aux étapes précédentes arrivent en force.

Voici les barrières auxquelles j'ai dû faire face à l'étape de passage d'employée de secrétariat d'une entreprise à secrétaire «autonome»:

1.   L'argent (le salaire régulier et le fonds de pension);

2.   La sécurité d'emploi;

3.   Les avantages sociaux;

4.   La peur de l'opinion des autres;

5.   La peur d'échouer.

Je me trouvais devant plusieurs peurs à surmonter et plusieurs barrières à franchir. J'ai dû les reconnaître une à une. Pour chacune que je reconnaissais, une autre surgissait. Lorsque je les ai toutes reconnues et que j'ai aussi admis combien j'étais malheureuse dans mon travail depuis plusieurs années, j'ai fait tomber quelques-unes de ces barrières, j'ai contourné les autres et je suis allée de l'avant, vers l'inconnu. Cette étape a été franchie sur une période d'environ six mois.

De l'étape de «secrétaire autonome» à «infographiste autonome», la seule barrière qui existait était la formation. Comme j'aime les nouveaux apprentissages et que celui-ci était pour moi aussi intéressant que nécessaire, cette barrière a été franchie facilement, sans perdre de temps.

Par contre, pour l'étape m'amenant à devenir praticienne en réflexologie intégrale, il en a été tout autrement. Malgré le fait que tout ce qui se passait autour de moi et en moi m'amenait vers la médecine douce (parallèle), j'ai résisté pendant environ un an. C'est ainsi que je me suis rendu compte qu'il y avait des barrières (peurs) que j'avais simplement écartées et qu'il s'en dressait de nouvelles.

Des barrières contournées et encore présentes

* La peur de l'opinion des autres (peur de manquer de crédibilité auprès des gens en raison de tous ces changements en trois ans);

* L'argent (coût élevé de formation et le temps de se faire connaître dans une nouvelle profession);

* La peur d'échouer (ne pas réussir à faire une carrière dans ce domaine nouveau pour moi).

De nouvelles barrières

* Jugement de moi vis-à-vis moi (ne pas être à la hauteur, ne pas avoir les connaissances suffisantes).

Cette fois, j'ai dû reconnaître que les derniers changements n'avaient été qu'une transition pour me libérer de la sécurité illusoire du premier emploi et me donner l'occasion d'explorer ce que cela signifiait d'être travailleuse autonome. Tout cela devait me mener à ce changement radical et j'avoue que j'ai eu très peur. Je savais que j'allais prendre le bon chemin, peu importe où il me mènerait, pourtant cette étape a été plus difficile que les autres à traverser. Les barrières semblaient insurmontables. L'opinion de mes proches pesait lourd dans la balance. Plusieurs semblaient découragés de me voir changer aussi radicalement de vie professionnelle. D'autres applaudissaient devant cette idée qui germait en moi. La pire des barrières était celle où je me disais que je n'avais rien à faire là, que je n'étais qu'une secrétaire infographiste qui ne connaissait rien à rien à la santé parallèle et que j'allais me casser le nez.

Finalement, après avoir reconnu toutes ces peurs et après avoir cherché sincèrement ce que je ferais si je n'avais pas aussi peur, j'ai été bien forcée d'admettre qu'il me fallait aller de l'avant. Encore une autre étape traversée.

L'étape suivante, celle d'ajouter, à la réflexologie intégrale, la consultation et l'animation de conférences et ateliers de décodage biologique des maladies, semble s'être *installée* simplement. De toute évidence, c'était dans l'ordre des choses. Il m'a quand même fallu accepter que tout ce que j'avais appris et, surtout, les expérimentations que j'avais faites à partir des formations suivies, eh bien, je me devais de les transmettre à d'autres. C'est ainsi que m'est venue l'idée d'ateliers pratiques. Avoir une idée c'est fantastique, mais encore faut-il la mettre en application. Et devoir franchir d'autres barrières, naturellement.

Des barrières contournées aux étapes précédentes

- La peur d'échouer : « Je n'y arriverai jamais. »
- Le jugement des autres et mon propre jugement : « Pour qui se prend-elle de penser qu'elle a quelque chose à apprendre aux autres ? »
  « Qui suis-je pour penser que des gens peuvent s'intéresser à ce que j'ai à leur transmettre ? »
  « Est-ce valable ce que j'ai à transmettre ? », etc.

De nouvelles barrières

- Peur d'appeler des gens pour les inviter au premier atelier (peur du refus) ;
- Peur de me tromper ou de mal informer les gens.

Comme vous pouvez le constater, la barrière ARGENT n'était plus là. Ma pratique en réflexologie intégrale ne me permettait pas d'assurer ma subsistance et, pourtant, que les ateliers deviennent une source de revenus, ou non, ne faisait plus partie de mes barrières. Je souhaitais transmettre le résultat de mes expérimentations, peu importe le **résultat** financier.

Je suis parvenue à franchir cette étape en un mois. Du jour (ou plutôt de la nuit) où j'ai conçu trois ateliers pratiques jusqu'au moment où j'ai animé mon premier atelier devant huit personnes, il ne s'est écoulé qu'un mois. L'aventure continue depuis et engendre de nouvelles expériences à chaque instant.

Pour résumer le processus des peurs et des barrières

*   Reconnaître l'intention profonde dans les choix (projets) qui sont faits ;
*   Admettre les peurs et les barrières qui se trouvent sur notre chemin et qui nous empêchent d'avancer (découvrir leurs noms) ;
*   Choisir entre reculer, rebrousser chemin ou aller de l'avant (en faisant tomber les barrières) ;
*   Si le choix est d'aller de l'avant, y aller sans se retourner, sans attendre un résultat précis, en appréciant chaque instant de la nouvelle expérience qui se présente.

Les zones de turbulences

*L*es zones de turbulences, d'inconfort ou de trem-blement intérieur, voilà ce qui nous assaille lorsque nous allons de l'avant après avoir fait fi de nos peurs et de nos barrières. C'est normal, compte tenu qu'il s'agit d'un grand pas vers l'inconnu. Ce grand inconnu qui a soulevé les barrières est encore là et nous fait trembler.

L'abandon d'une carrière, la séparation du conjoint, un déménagement dans une autre région, choisir de vivre avec une nouvelle personne, choisir d'animer une soirée, l'achat d'une nouvelle propriété et de l'hypothèque inhérente, la création d'une entreprise, etc., tout cela amorce une zone de turbulences plus ou moins longues selon notre résistance aux changements.

La peur de s'être trompé surgit facilement lorsque les résultats tardent à venir. De même, la peur de ne plus être aimé parce qu'on a dit NON à quelqu'un à qui on n'avait jamais rien refusé. Entre la fin d'une étape et *l'installation* dans une nouvelle étape, il est possible de vivre des malaises ou un déséquilibre.

Prenons l'exemple d'un déménagement dans une nouvelle maison. L'ancienne maison ne correspond plus aux besoins, elle est devenue trop petite. Voici le processus :

Choix

Vendre la maison pour en acheter une plus grande qui conviendrait mieux.

Barrières

* L'argent : peur de ne pas réussir à avoir un bon prix pour l'ancienne maison afin d'en acheter une plus grande et plus onéreuse ;
  Peur d'être incapable de payer une hypothèque plus élevée ;

* La famille : peur que les enfants ne s'adaptent pas à leur nouveau quartier et qu'ils détestent leur nouvelle école ;

* La nouvelle maison : peur de ne pas trouver la maison convoitée à un prix convenable.

Une fois les barrières tombées, la vente de l'ancienne maison et l'achat de la nouvelle maison réalisés, il y aura une zone de turbulences ou d'inconfort à traverser, pendant laquelle le doute surgira s'il n'a pas déjà fait son entrée avant cette période.

Zone de turbulences

* S'habituer aux nouveaux bruits ;
* Prendre le temps de découvrir les coins et recoins de la nouvelle résidence ;

- Repérer certains désavantages de la nouvelle maison;
- Devoir attendre pour installer de nouveaux rideaux à chaque fenêtre;
- Devoir patienter avant de repeindre les murs avec des couleurs plus appropriées;
- Ouvrir quatre portes d'armoires avant de retrouver notre bonne vieille tasse à café;
- S'habituer à la nouvelle disposition du mobilier;
- Découvrir le nouveau quartier et l'épicerie la plus près du nouveau domicile;
- Etc.

Il s'agit d'un exemple très concret. Pourtant, il en va de même pour toute situation. Délaisser une vieille zone de confort qui ne nous convient plus pour aller vers l'inconnu demande de l'adaptation et de la patience. C'est une période temporaire nécessaire pour s'installer dans une nouvelle zone qui deviendra plus avantageuse que la précédente.

Changer d'emploi ou de carrière, ou tout autre changement, amène la même période de transition. Il y a de nouvelles choses à apprendre et à expérimenter avant d'être bien «installé» dans ce nouveau choix. Un projet de guérison crée les mêmes combats intérieurs. Pour guérir, il faut traverser les mêmes étapes puisque qu'il faut reconnaître la situation conflictuelle qui a entraîné la maladie. Ensuite, il faut découvrir les peurs et les barrières qui ont entraîné ce conflit intérieur. Quand les émotions auront été exprimées, que les barrières seront tombées, que de nouveaux choix d'attitude auront été déterminés et que la zone de turbulences sera traversée, la maladie n'aura plus de raison d'être.

Le doute

Qu'est-ce que le doute? N'est-ce pas cette petite voix intérieure qui nous dit d'arrêter, qu'il est impossible d'atteindre notre but? C'est aussi cette affreuse sensation qui paralyse tout mouvement vers la réalisation d'un projet. Naturellement, le doute fait partie des barrières et des peurs. Et c'est l'une des plus grandes barrières parmi celles érigées devant la ligne d'arrivée.

Le doute peut surgir à tout moment au cours des étapes qui parsèment le chemin menant à la réalisation de l'intention profonde de départ, qu'il s'agisse de guérir ou de mener à terme un projet qui nous tient à cœur. Dès l'instant où une idée (pensée) de projet ou de réalisation nous traverse l'esprit, il est possible que ce petit monstre s'insinue et s'impose comme une barrière (émotions, peurs) impossible à franchir.

Voici quelques exemples :

- « Je n'ai pas l'argent qu'il faut, alors, aussi bien ne pas y penser. »
- « Je n'ai pas les diplômes qu'il faut, alors... »

- « Personne ne croira à mon projet, alors... »

- « Personne ne croira que je peux guérir, alors... »

- « Je n'ai probablement pas les qualités qu'il faut, alors... »

- « Ils vont dire non, de toute façon, alors... »

- « Il y en a de meilleurs que moi qui ont échoué avant, alors... »

Il est difficile de croire en soi, n'est-ce pas ? Pourtant, même si tout l'entourage croit en la guérison d'une personne ou à la réussite de son projet, si elle n'y croit pas elle-même, elle n'a aucune chance d'y arriver. Comment alors combattre ce doute, cet inconnu, ce monstre cauchemardesque ?

Comme pour toutes les peurs et barrières, il faut le reconnaître d'abord, lui faire face et tenir bon car, même lorsqu'on réussit à l'affronter aux premières étapes (intention, choix, barrières, etc.), il est tellement tenace qu'il peut se présenter à nouveau à l'étape de réalisation.

De petits désagréments

Vous avez réussi à vendre votre maison et à acheter la maison tant désirée et... vlan !!! Le chauffe-eau ne fonctionne plus, le toit fuit, le mur derrière la céramique de la salle de bain est pourri, etc. De plus, le bruit de la circulation qui passe devant la maison vous empêche de dormir.

Vous pensez avoir fait le mauvais choix. Vous pensez vous être trompé. Vous avez peur de ne pas réussir à payer les réparations, etc.

Le doute s'insinue

Vous êtes passé *au travers* de la radiothérapie, de la chimiothérapie. Cela n'a pas été facile de conserver votre foi quant à votre guérison et votre courage pendant cette épreuve, pourtant vous y êtes arrivé et... découragement!!! Le médecin vous annonce que vous avez un risque de récidive de 90 %, que le cancer revient en moins d'un an dans la plupart des cas, etc.

Vous croyez probablement que ça n'a servi à rien d'être aussi positif pendant aussi longtemps puisque, immanquablement, vous ne vous en sortirez pas.

Le doute s'insinue facilement, autant de l'intérieur que de l'extérieur. Nous pourrions le décrire comme étant «le monstre du placard» ou le «monstre sous le lit» qui nous effrayait lorsque nous étions enfant. Il est comme une illusion que nous croyons réelle. C'est comme si quelque chose nous collait à la peau, et souvent ce quelque chose se nomme une *fausse croyance*.

Nous développerons ce thème davantage dans le chapitre qui suit.

Les fausses croyances

Qu'est-ce qui nous fait croire qu'il est impossible de réussir? Qu'est-ce qui fait que nous rebroussons chemin devant certains doutes? D'où nous viennent ces croyances qui disent que nous ne pourrons jamais être riches, que les riches sont des gens qui ont profité des autres, que les vendeurs sont des menteurs, qu'une femme qui travaille à l'extérieur est une mauvaise mère de famille, etc.? On dit aussi *qui rira aujourd'hui, pleurera demain*. Autrement dit, chaque fois que ça ira bien, tu le paieras cher!

Tout comme les *pensées-attitudes* qui provoquent les malaises et les maladies, les fausses croyances sont des *pensées-attitudes* qui proviennent de nos ascendants, c'est-à-dire de nos parents, de nos grands-parents, et ainsi de suite. Tous ces ascendants ont aussi vécu selon les croyances qui leur ont été inculquées. C'est l'histoire d'un individu, d'une famille, d'un clan, d'une société, etc. Selon l'histoire propagée, l'individu répétera les mêmes situations et courra le risque d'être atteint de maladies reliées à ces croyances.

Cela nous ramène à ce passé qui fait partie de notre présent en tout temps. Si une personne croit qu'elle ne pourra réaliser un projet important car elle n'a pas les diplômes nécessaires, elle devrait s'interroger sur l'histoire de sa famille à ce sujet. Elle n'est pas obligée de répéter à l'infini l'histoire de sa famille, de sa généalogie.

Chaque individu a plusieurs **histoires** imprimées en lui. Ces histoires le poussent à douter de lui-même, de ses capacités et de ses habiletés, selon les situations et événements qui se présentent à lui.

Une femme sans homme

« Ça prend un homme dans une maison, une femme seule ne peut y arriver. »

Cette croyance provoquera des situations telles que celles-ci :

- Une femme s'empêchera de divorcer d'un époux alcoolique et violent.

- Une autre femme, abandonnée par son conjoint, se découragera chaque fois que quelque chose brise dans la maison et se trouvera un homme à n'importe quel prix.

- Une autre encore aura peur de s'acheter une maison tant et aussi longtemps qu'il n'y aura pas d'homme dans sa vie.

- Une autre femme seule, qui se décide enfin à acheter une maison pour elle-même, se met inconsciemment à la recherche d'un *amoureux* pendant la même période.

Toutes ces situations sont les réponses à une fausse croyance. Cela peut venir d'une ancêtre qui a perdu son mari alors qu'ils étaient encore jeunes et qu'il y avait douze enfants à la maison. Cela lui occasionnait un stress énorme. Elle avait peur d'être incapable de nourrir sa famille. Elle ne pouvait aller travailler ; les femmes ne travaillaient pas à l'extérieur à cette époque-là. Elle se retrouvait avec une terre à cultiver sur les bras. Comment faire sans homme ? « *Ça prend un homme à la maison !* »

Alors, de génération en génération, sans trop savoir pourquoi, les situations de vie répondent au questionnement de cette ancêtre. Ce type de situation est présent dans nos vies encore plus que nous ne le croyons. L'anecdote suivante illustre bien notre inconscience à propos des comportements répétitifs.

Une femme s'apprête à faire cuire un jambon. Sa fille, qui la regarde préparer le jambon, lui demande pourquoi elle coupe les deux extrémités du jambon avant de le mettre dans la rôtissoire. Sa mère réfléchit quelques instants avant de répondre, et elle doit bien admettre qu'elle n'en sait rien. Elle a toujours fait ainsi parce que sa mère faisait ainsi. Elle s'informe donc auprès de sa propre mère pour lui poser la même question. Celle-ci répond qu'elle coupait les deux extrémités du jambon avant de le faire cuire tout simplement parce *que la marmite était trop petite pour le faire cuire tout entier.*

C'est ainsi que nous reproduisons des schémas beaucoup plus importants tout au long de notre vie, tant et aussi longtemps que nous continuons à faire, à agir et à réagir de la même façon, sans même nous interroger sur la raison de nos comportements et *pensées-attitudes.*

Une femme sans enfant

Vous n'arrivez jamais à mener un projet à terme. Vous n'arrivez jamais à réussir ce que vous avez entrepris. De quelle façon cela peut-il être lié à des comportements ou des attitudes qui se reproduisent de génération en génération?

Rien ne sert de remonter très loin dans votre généalogie pour découvrir des faits intéressants. Cela peut être aussi simple que le découragement de votre mère qui croit qu'elle ne réussira jamais à mener une grossesse à son terme, ou qu'elle ne parviendra jamais à avoir des enfants, car elle ne se sent pas comme les autres. Elle n'arrive pas à atteindre un objectif précis: accoucher d'un enfant sain et normal au bout d'une grossesse normale de neuf mois.

Son premier enfant, né à moins de sept mois de grossesse, était *anormalement constitué*. Il est décédé quelques heures après la naissance. Elle a failli perdre son deuxième enfant de la même façon. À ce moment-là, profondément désespérée, elle se dit ceci: « *Jamais je n'arriverai à rendre cet enfant à terme. Jamais je ne réussirai à mener cette grossesse* (projet) *à terme.* » C'est ainsi que, sans savoir pourquoi, un individu croit régulièrement qu'il n'arrivera jamais à atteindre certains objectifs. Il reproduit tout simplement un *schéma familial*.

Pour se libérer de *l'histoire* d'un ascendant, il est important de RECONNAÎTRE et de PRENDRE CONSCIENCE de l'histoire qui se déroule AU MOMENT PRÉSENT. Il est tout aussi important de reconnaître le ressenti de ce qui nous afflige ACTUELLEMENT.

À l'époque où nous vivons, avec toutes les recherches et thérapies proposées, il vous sera suggéré de vérifier votre passé pour vous aider à comprendre votre présent. À mon avis, commencer à chercher dans le passé sans trop savoir ce que l'on recherche peut devenir harassant, épuisant et décourageant. Encore une fois, le doute s'insinuera et fera resurgir vos fausses croyances.

Je considère toutefois l'histoire du passé comme étant importante puisqu'elle provoque des événements difficiles et des maladies dans le moment présent. Ce que je propose, c'est simplement d'ÊTRE PRÉSENT à votre quotidien. Constatez en toute honnêteté et intégrité ce qui vous affecte dans le présent et vérifiez au plus profond de vous ce que vous ressentez par rapport à ce qui vous arrive (les maladies et les situations). C'est à partir de ces RESSENTIS PRÉCIS que vous trouverez plus facilement les événements du passé vécus par l'un ou l'autre de vos ascendants.

Chacun d'entre nous porte en lui la souffrance de son père, de sa mère ou d'un autre ascendant. En reconnaissant quelle est la souffrance du moment, il devient aisé de faire le lien émotionnel, c'est-à-dire en matière de ressenti, avec la souffrance d'un ascendant et parfois même de découvrir quel est cet ascendant.

Voici des questions qui pourront faciliter ces découvertes. Évidemment, il faut *se centrer sur son cœur* pour poser ce genre de question, ou être en état de méditation. Les résultats obtenus seront plus rapides et concluants.

- «Qui a bien pu vivre cette situation (nommez la situation) pour que je sois ainsi affecté dans ma vie ou dans ma santé?»

- «D'où me vient cette souffrance que je porte à l'intérieur de moi?»

- «Quelle est donc cette souffrance que je porte en moi, et à qui appartient-elle vraiment?»

Dès que la prise de conscience «émotionnelle» s'est opérée à l'intérieur de soi, on a maintenant l'occasion de se libérer de ce fardeau. Le travail de recherche au niveau des ascendants biologiques pour découvrir les liens émotionnels avec le passé, qui apportent doutes, peurs et barrières au présent, se simplifie par la compréhension, la reconnaissance et la prise de conscience du RESSENTI du MOMENT PRÉSENT de chaque individu.

Le lien avec le passé ne peut se faire de façon **théorique** seulement. La théorie et l'analyse se font au niveau intellectuel. Cependant, les émotions ne sont pas intellectuelles. Elles se sentent et se ressentent (*ressentent*). Pour détecter en soi la même émotion que chez un ascendant, il faut cesser d'analyser les événements pour enfin les ressentir, car ce sont des émotions et des stress qui nous bouleversent lors de chaque situation difficile.

Laissons donc l'histoire de côté pour enfin reconnaître les émotions contenues dans l'histoire.

Le lâcher prise

*D*ois-je lâcher prise à l'égard de mon conjoint quand ça va mal et m'en aller vivre ailleurs ou dois-je lâcher prise sur la situation difficile qui s'est installée entre nous deux? Dois-je lâcher prise par rapport à mon désir de changer d'emploi ou dois-je lâcher prise par rapport à mon insatisfaction concernant mon travail actuel?

Bien que plusieurs d'entre nous comprenions que la notion de lâcher prise est importante, encore faudrait-il savoir par rapport à quoi il est essentiel de décrocher. Pourquoi lâcher prise? Quand lâcher prise? Comment lâcher prise? Voilà des questions qui m'ont souvent préoccupée.

Lâchez prise par rapport à quoi?

Nous sommes portés à croire qu'il faut lâcher prise par rapport à une personne, un emploi, un objet, enfin sur ce qui nous semble concret. Pourtant, même après avoir quitté quelqu'un, ou un emploi, ou après s'être départi d'un objet, on se rend compte que le malaise est toujours là, qu'on ne se sent pas mieux pour autant.

À force d'expérimentation et d'observation par mes expériences personnelles, j'ai enfin compris qu'il me fallait lâcher prise sur les émotions, les pensées, les fausses croyances qui étaient reliées à des événements, des personnes, des objets, etc.

Je vous rapporte l'exemple de cette fois où je pratiquais l'exercice pour me centrer sur mon cœur afin de découvrir pourquoi je m'étais de nouveau lancée dans une relation amoureuse impossible. Une fois bien centrée à l'intérieur de moi, je me suis vue descendant un escalier. En descendant, je tenais la rampe. Il ne me restait plus qu'une marche pour atteindre la rue, le chemin, et je n'arrivais pas à faire ce pas. Je voyais quelqu'un qui me tendait la main pour m'aider à franchir ce dernier pas, vers un nouveau chemin, mais je m'agrippais tellement fort à cette rampe que cette personne ne réussissait pas à m'entraîner avec elle.

Je restais accrochée fermement à cette fausse croyance que ce devait être ma faute si cette relation s'était terminée. J'étais sûrement l'unique responsable. J'y tenais tellement à cette croyance que je ne voulais pas la lâcher, la laisser aller. De plus, je croyais aussi que c'était ma faute si on m'avait laissée tomber et, pour éviter de retomber, je ne pouvais lâcher ma prise sur cette rampe qui représentait ma façon de penser par rapport à la situation.

Pourquoi lâcher prise ?

Qu'est-ce qui fait que l'on reste accroché ? La peur. Quelle peur ? Cela dépend de chacun. Pour ma part, à ce moment-là j'avais peur de quitter ce faux confort qui représentait le *connu*. La difficulté de conserver une relation amoureuse, l'habitude d'être trahie et d'être rejetée étant le *connu*. J'ai employé les mots *faux confort*, car en restant cramponnée à ce genre de confort, je reproduisais le même schéma difficile encore et encore. Ainsi, il était évident que la prochaine relation amoureuse aurait été presque identique à la précédente.

Il me fallait donc *lâcher ma prise* sur cette rampe qui représentait le faux confort, la fausse croyance concernant la relation amoureuse impossible, pour accéder à un chemin nouveau et inconfortable, parce qu'il m'était **inconnu**, menant vers la relation amoureuse possible.

Comment lâcher prise?

Pour ce faire, il me fallait *reconnaître* mes plus grandes peurs en rapport avec cette situation. En continuant à interroger mon cœur, le mot CONFIANCE est arrivé à ma conscience. Immédiatement après, cette émotion a fait surface: «J'ai perdu confiance...». Dans un premier temps, quand j'ai senti cette phrase monter en moi, j'ai cru l'espace d'un instant qu'elle allait se terminer par «... dans les hommes». Je me trompais. La phrase était: «J'ai perdu confiance... **en moi**!»

J'avais perdu confiance en moi, en ma capacité et dans la possibilité de vivre un jour une relation harmonieuse avec quelqu'un. Je n'arrivais pas à lâcher prise par rapport à ces pensées. Je ne voulais pas lâcher cette rampe, qui représentait mes pensées-attitudes, car je n'avais aucune confiance en moi.

Dans ce cas précis, pour lâcher prise, pour laisser aller ces pensées négatives qui me nuisaient, il me fallait me faire confiance. ***Comment ?*** De la même façon que pour obtenir tout autre réponse : se centrer sur son cœur et se poser les bonnes questions. Ensuite, il suffit d'attendre les réponses. Les meilleures sont celles qui proviennent de l'intérieur, de votre cœur. Ce sont celles qui vous conviennent au moment présent.

Se faire confiance

« De quelle façon puis-je me faire confiance dès maintenant ? »

• En portant un regard différent sur les situations où je sens que je perds confiance.

« Quelle attitude dois-je modifier pour y arriver ? »

• M'affirmer davantage.

« De quelle façon m'affirmer davantage dès maintenant ? »

• Cesser d'accepter ce qui ne me convient pas.

« Qu'est-ce que ne me convient pas aujourd'hui ? »

• Je viens d'accepter un rendez-vous alors que l'heure fixée ne me convenait pas. J'avais peur de déplaire à la personne et qu'elle choisisse de cesser de me consulter.

« Qu'est-ce que je choisis de faire maintenant, par amour et par respect pour moi, pour me sentir mieux relativement à cette situation ? »

• Je lâche prise par rapport à cette peur de déplaire et je choisis de reporter ce rendez-vous.

Il en va de même pour tout lâcher prise. Parfois, nous nous cramponnons à un emploi parce qu'il nous permet de subvenir à nos besoins, qu'il nous permet de survivre. Pourtant, quand cela nous rend malades d'aller travailler à cet endroit ou de faire ce travail, peu importe l'endroit, il devient nécessaire de prendre conscience que nous nous accrochons. Qu'est-ce qui nous fait agir ainsi? Le manque de confiance dans notre potentiel? Le manque de confiance dans nos chances d'obtenir un autre poste, un autre emploi? Le manque de confiance en nos capacités d'apprendre un nouveau métier?

Dans un premier temps, il faut reconnaître, en se centrant sur son cœur, ce à quoi on est resté accroché. S'agit-il d'une pensée, d'un projet, d'une relation, d'un emploi? Ensuite, toujours centré, on découvre et on exprime les peurs, les émotions reliées à cette situation. Maintenant que l'on sait sur quoi on doit lâcher prise, on peut s'interroger intérieurement pour apprendre comment y arriver.

L'homme qui avait mal à un pied

Cet homme se plaint que sa conjointe est déplaisante avec lui. Elle est à ce point désagréable qu'il éprouve souvent le goût de partir, de s'enfuir, de la quitter. Qu'ils soient seuls ou en compagnie d'amis ou d'étrangers, elle le reprend sur ce qu'il dit ou fait. Il en est ainsi depuis une douzaine d'années. Curieusement, il a mal à un pied depuis le même nombre d'années. Parfois, lorsqu'il pose ce pied par terre, il ressent une douleur affreuse, semblable à une décharge électrique.

Évidemment, avec cette douleur au pied, il ne peut courir ni marcher bien longtemps. Il ne peut donc aller bien loin. Comme les dérèglements physiques illustrent de façon remarquable ce qui est ressenti dans une situation, nous pouvons conclure que cette douleur au pied le retient de partir et de quitter sa conjointe.

Pour que cesse cette douleur au pied, doit-il quitter sa conjointe qu'il trouve désagréable ou doit-il lâcher prise quant aux émotions suscitées par le comportement de son épouse?

Évidemment, il lui faut se départir de cette pensée que sa conjointe cherche à le rabaisser, à l'humilier en toute occasion. Pour ce faire, il doit d'abord reconnaître les émotions qu'il ressent au moment où la situation se présente.

Voici son ressenti:

- «Je me sens humilié.»
- «Je me sens rabaissé.»
- «Je me sens comme un enfant pris en faute.»
- «Ça me rappelle ma mère qui était institutrice et qui me reprenait et m'invectivait à la moindre erreur de langage ou d'écriture que je commettais.»

Cet homme reconnaît à ce moment-là une attitude, un comportement qu'il connaît depuis fort longtemps. Son propre comportement, son attitude lorsqu'une telle situation se présente, est de se renfrogner et d'avoir l'envie subite de quitter la pièce, de s'en aller, de s'éloigner. Comme il ne souhaite pas quitter son épouse, son pied douloureux le retient chaque fois.

Comme pour chacun de nous, il est lui impossible de changer l'attitude ou le comportement d'une autre personne, il lui faut maintenant transformer sa propre attitude et lâcher prise sur son ancienne façon de réagir.

Son attitude habituelle : se renfrogner, maugréer et souhaiter s'en aller.

La nouvelle attitude que cet homme a choisi d'adopter : sourire et dire à sa conjointe que chaque fois qu'elle agit ainsi, elle lui rappelle sa mère. Il a choisi d'expliquer à sa conjointe le comportement de sa mère et ce que cela lui faisait ressentir. Maintenant, lorsque sa conjointe lui fait des remarques sur une erreur de langage ou d'écriture, il rit en lui disant qu'encore une fois elle se prend pour sa mère.

Sa conjointe ne savait pas qu'elle le blessait autant par son attitude. Dès qu'elle en a pris conscience, elle a elle-même changé son comportement. Résultat : cet homme n'a plus de douleur au pied car il n'a plus envie de partir.

« Mon conjoint n'écoute pas quand je parle »

Qu'est-ce que vous ressentez lorsque votre conjoint ne semble pas vous écouter pas quand vous lui parlez ?

- « Je me sens invisible. »
- « Je ne me sens "pas importante". »
- « Je me sens ignorée. »
- « Ça me rappelle mon père ou ma mère qui n'écoutait jamais quand je parlais. »

Dans le cas présent, est-ce l'attitude du conjoint qui n'écoute pas qui est le plus dérangeant, ou est-ce la répercussion émotionnelle que cela suscite en elle ?

En prenant conscience du ressenti (émotions ressenties), on prend aussi conscience de toutes ces fois où on a ressenti les mêmes émotions lorsque des gens ne semblaient pas écouter ce qu'on avait à dire. Ce n'est donc pas seulement l'attitude du conjoint qui bouleverse, mais bien le rappel de vieux souvenirs désagréables imprimés en soi.

Attitude habituelle: être bouleversé par le comportement du conjoint.

Nouvelle attitude à adopter: susciter son intérêt en racontant de fausses nouvelles.

- «Il paraît que mon frère a gagné un million à la loterie la semaine dernière.»
- «Savais-tu que ça fait deux mois que j'ai un amant?»
- «J'ai oublié de te dire: "Je suis enceinte!"»
- «J'ai donné ma démission aujourd'hui.»

À la surprise du conjoint devant ce discours, la personne prendra conscience à ce moment-là que son conjoint l'écoutait, qu'il l'a toujours écoutée. Seulement, plus la personne s'emportait et critiquait, moins le conjoint l'écoutait. Cela faisait partie d'un schéma. Vous pouvez aussi le découvrir en **reconnaissant** et **exprimant** vos **ressentis** et en **lâchant prise** par rapport à vos anciennes attitudes.

Souvenez qu'en vous emportant contre votre conjoint chaque fois qu'il ne vous écoute pas, vous vous emportez en réalité contre ce père ou cette mère qui ne vous écoutait pas, ou contre cette camarade d'école qui vous ignorait, contre ce professeur qui ne vous prenait pas au sérieux, ou contre toute personne pour qui vous étiez invisible.

La personne qui partage notre vie, ainsi que la plupart de nos proches, sont les personnes idéales pour nous faire prendre conscience de nos vieilles blessures qui resurgissent à tout moment. En prenant le temps de vérifier notre attitude personnelle et notre ressenti vis-à-vis du comportement d'autrui, cela nous permet de nous connaître encore mieux, de lâcher prise sur les anciens schémas pour adopter de nouvelles attitudes. La seule personne que l'on peut changer est **soi-même**.

En adoptant de nouvelles attitudes, en lâchant prise par rapport au comportement de toute personne avec laquelle vous avez un problème relationnel, il y aura effectivement changement. Vous détecterez des changements relativement à vous-même, grâce à cette nouvelle connaissance que vous avez de vous. En même temps, vous noterez des changements d'attitudes chez l'autre personne qui ne réussit plus à vous irriter par son comportement. Résultat : elle ne cherchera plus à vous exaspérer.

Il y a des milliers d'exemples pour illustrer tout ce à quoi nous pouvons rester accrochés. En voici quelques-uns :

- *S'accrocher à ses enfants.*
  Les retenir **inconsciemment** dans le nid familial ou tout près de la résidence parentale.

- *S'accrocher à de fausses croyances.*
  « Si je vais travailler, je suis une mauvaise mère. »
  « Il faut travailler dur pour gagner sa vie. »
  « Je suis un homme et tout repose sur moi. »
  « Un homme ça ne pleure pas. »

- *S'accrocher à un travail qui ne convient plus depuis longtemps parce qu'« il faut bien travailler ».*
- *S'accrocher à un mariage désastreux pour le bien des enfants ou pour l'argent.*

Il ne faut pas croire qu'il est préférable de tout laisser tomber chaque fois que ça va plus ou moins bien. Il suffit simplement de cesser de résister, de cesser de rester cramponné à de fausses idées et à de fausses croyances, sans oublier d'explorer son ressenti afin de prendre les décisions qui conviennent le mieux pour chaque situation.

Dans certains cas, le lâcher prise peut s'avérer difficile. Prenons les cas d'abus vécus dans l'enfance. Qu'il s'agisse de sévices sexuels, d'abus d'autorité ou d'abus de confiance, les cas d'abus provoquent chez les gens des malaises allant de l'angoisse et de la panique à de graves dérèglements physiques. De plus, les personnes abusées verront se répéter ces lourds conflits de la même manière ou de manière semblable chez leurs descendants (enfants et petits-enfants). Nous pouvons à chaque instant briser ce moule et éviter que nos descendants aient à reproduire ce schéma de souffrance à travers l'abus, la maladie ou l'angoisse permanente.

Comment ?

Dans un premier temps, il faut lâcher prise par rapport au SECRET. Ce secret enfoui profondément à cause de la honte, de l'humiliation, de la peur du jugement, de la peur de ne pas être pris au sérieux ou de la peur d'être tenu pour responsable du drame. Le secret est la première barrière rencontrée, et bien des gens gardent ces secrets enfermés parfois toute leur vie durant. Si seulement ils avaient su que leurs enfants auraient de lourds fardeaux à porter à cause de ces mystères devenus des conflits jamais résolus, ils auraient probablement exprimé ce secret beaucoup plus tôt.

Si vous vous sentez concerné en lisant ces lignes, prenez conscience des situations difficiles que vous expérimentez actuellement (les conflits du quotidien sont le reflet de notre passé et souvent du passé de nos ascendants). Ensuite, je vous invite à vous centrer sur votre cœur pour découvrir les ressentis dissimulés depuis trop longtemps.

Prenez conscience de votre souffrance intérieure, de vos peurs et de vos angoisses. Si tout cela vous vient de votre enfance, vous serez à même de le constater. Si cela vous vient d'un de vos ascendants, prenez bien conscience que cette souffrance qui vous habite est la même que celle ressentie par cet ascendant. Il devient alors plus simple de comprendre pourquoi certains événements se produisent dans votre vie ou pourquoi des maladies ou dérèglements physiques, qu'ils soient sexuels ou d'une autre nature, vous affectent.

Lorsque vous aurez admis la vérité sur ce qui vous est arrivé et sur ce qui est arrivé à un membre de votre famille (parent ou autre ascendant), vous parviendrez à faire le lien émotionnel à l'intérieur de vous. C'est comme suite à cette reconnaissance émotionnelle que le lâcher prise devient important. Surtout, n'allez pas croire que renier les émotions et faire comme si elles n'avaient jamais existé est une forme de lâcher prise. Il faut reconnaître les émotions (haine, honte, culpabilité, humiliation, injustice, etc.) et lâcher prise par rapport à tout ressenti qui refait surface. Et cela, parce qu'aussi longtemps que vous vous sentirez abusé dans votre vie, les abus de toutes sortes continueront.

Des abus

Une personne a vécu des sévices sexuels dans son enfance. À l'âge adulte, elle vit encore des abus qui se présentent de différentes façons. Il peut s'agir d'abus de confiance, d'abus d'autorité et même de gens qui abusent de son temps.

En reconnaissant tout simplement ces abus et en prenant conscience des ressentis intérieurs, elle remarquera que les personnes qui ont ce pouvoir d'abuser d'elle ont la même attitude que son agresseur. Pour donner suite à cette découverte, elle pourra se départir de ce vieux schéma en modifiant sa propre attitude lorsqu'un tel événement surviendra. Peu à peu elle verra que ce genre de situation se produira de moins en moins souvent, car elle n'acceptera plus aucune forme d'abus. Le schéma aura enfin cessé.

Une des premières attitudes à adopter est de dire NON quand c'est NON, et OUI quand c'est OUI. Cela permet de retrouver son propre pouvoir et de lâcher prise par rapport à cette fausse croyance que l'autre a tous les pouvoirs. Évidemment, pour chaque personne, des solutions différentes s'imposeront. À l'intérieur de chacun se trouve la bonne solution.

Exercice symbolique de lâcher prise

Pour bien **ressentir** cette agréable sensation d'être enfin libéré d'une obsession, d'une fausse croyance, je vous propose d'essayer cet exercice qui vous amènera à pratiquer le lâcher prise de façon symbolique.

Pratique du lâcher prise symbolique en se servant d'un objet

1. Prenez un crayon ou un autre objet dans l'une de vos mains.

2. Serrez cet objet dans votre main.

3. Ouvrez votre main, la paume vers le HAUT.

Vous constaterez que cet objet demeure dans votre main. Vous n'avez donc pas lâché prise. Vous résistez à laisser aller complètement cet objet. Refaites l'exercice en procédant de la manière suivante:

4. Prenez un crayon ou un autre objet dans une de vos mains.

5. Serrez cet objet dans votre main.

6. Ouvrez votre main, la paume vers le BAS.

Vous avez lâché prise. Vous avez laissé tomber cet objet. Vous constatez qu'il ne peut revenir de lui-même dans votre main.

Pratique du lâcher prise symbolique d'une fausse croyance ou d'une attitude

1. *Déterminer le lâcher prise à effectuer*

- Vérifier votre propre attitude et comportement vis-à-vis un événement important (ex.: drame gardé secret) ou vérifier ce qui vous affecte actuellement dans une situation précise.

- Reconnaître et exprimer votre ressenti (dire toute la vérité, être honnête et intègre).

- Prendre conscience de la provenance du ressenti. Est-ce une répétition du passé?

- Définir ce dont vous souhaitez lâcher prise actuellement: fausse croyance, attitude ou obsession qui vous rendent malheureux en rapport avec cette situation («Je n'y parviendrai jamais», «J'arrive toujours trop tard», «Si je n'obtiens pas cet emploi, je ne vaux rien», etc.).

2. *Effectuer le lâcher prise symbolique*

- Inscrire votre choix sur un bout de papier («Je ne réussirai jamais»).

- Serrez ce bout de papier dans votre main.

- Choisissez l'endroit où vous lâcherez prise en laissant aller ce bout de papier (exemple: la poubelle, un cours d'eau ou tout endroit où vous ne pourrez le récupérer).

- Respirer profondément et faites le choix CONSCIENT, SINCÈRE ET HONNÊTE de lâcher prise par rapport à ce que vous avez inscrit sur le bout de papier.

- Lorsque vous serez SÛR et CERTAIN que vous êtes prêt à LÂCHER PRISE, ouvrez votre main, PAUME VERS LE BAS et laissez aller ce bout de papier.

Si vous faites cet exercice CONSCIEMMENT et EN PRENANT VRAIMENT CONSCIENCE DE VOTRE GESTE, vous comprendrez tout le symbolisme de cet acte. À ce moment-là, il vous sera peut-être même difficile de lâcher votre prise sur ce bout de papier qui représente ce à quoi vous êtes resté accroché depuis si longtemps. Vous ne vous sentez pas prêt ? Alors, attendez d'être vraiment décidé à poser ce geste.

Lorsque cet exercice est fait en toute conscience, les résultats sont concluants. Par contre, lorsqu'il est fait *pour se débarrasser*, SANS CONSCIENCE, comme si c'était un jeu, cela n'a aucune valeur. Vous ne pourrez pas vous mentir à vous-même.

Responsabilité et culpabilité

*E*n amorçant un processus de changement, pour se libérer de schémas et guérir de maladies, on découvre que des membres de la famille, dans les générations précédentes, ont été éprouvés par divers événements dramatiques et désagréables. En réponse à ces découvertes, il se peut que certains rejettent le blâme sur leurs parents ou leurs grands-parents, etc., pour tous les malheurs qui surviennent dans leur existence

Les parents sont-ils coupables de ce qui arrive à leurs enfants? Y a-t-il des parents qui pourraient souhaiter que leur enfant soit atteint de sclérose en plaques, d'un cancer ou de toute autre maladie aussi importante? Évidemment non.

Les enfants connaissent certains problèmes physiques ou de comportements qui sont reliés à des drames, des événements difficiles et à des ressentis expérimentés par leurs parents. Toutefois, *on ne peut rejeter la faute sur les parents*. Nous *héritons* d'une part de leurs conflits, tout comme nos enfants héritent d'une part des nôtres. Comme nos parents sont aussi des enfants ayant eu des parents, ils ont aussi hérité de conflits. Et la même chose pour les grands-parents, etc. Cela fait donc plusieurs personnes à blâmer.

Il n'y a pas si longtemps, nous n'avions pas conscience de toute cette réalité concernant cet héritage familial. Toutes ces informations concernant la généalogie ascendante sont utiles pour comprendre la provenance des conflits. Néanmoins, seule la reconnaissance en toute conscience des ressentis actuels reliés à des conflits est susceptible de nous aider et, simultanément, d'aider nos ascendants et nos descendants. Cela se produit de façon systématique quand la prise de conscience est réelle, profonde et authentique.

La dissimulation de nos émotions lors d'épreuves douloureuses est responsable du fait qu'un ou plusieurs de nos enfants doivent maintenant porter ce fardeau, soit par une maladie ou par un schéma de vie. Nous pouvons toutefois considérer cette information comme étant une donnée précieuse puisque, au lieu de nous blâmer, nous pouvons leur venir en aide en constatant et en reconnaissant notre part de responsabilité.

Par la suite, il suffit de prendre conscience de ce que nous ressentons par rapport aux difficultés qu'éprouvent nos enfants actuellement. C'est ainsi que nous lèverons le voile sur les ressentis reliés à ces moments de nos vies où se déroulaient des événements difficiles. Vous observerez que les ressentis actuels (concernant votre inquiétude relativement à un de vos enfants) sont exactement les mêmes que les ressentis que vous aviez dissimulés autrefois (lors d'un événement vous concernant). Les ressentis actuels sont un rappel du passé.

Tant de gens se sentent coupables par rapport à des expériences tragiques alors qu'ils en étaient les victimes. Ils ont honte et se blâment eux-mêmes ; c'est pourquoi ils n'ont jamais osé parler. Si vous vous sentez incapable de révéler la vérité à vos enfants, ouvrez votre cœur à une personne de confiance ou à un thérapeute professionnel. Il ne s'agit pas de vous engager dans une thérapie qui durera des années, mais seulement de vous libérer d'un fardeau qui peut se transmettre de différentes façons d'une génération à l'autre.

Chaque fois qu'il vous semble impossible de vous confier à quelqu'un, exprimez-vous quand vous êtes seul, à voix haute, comme si vous parliez à quelqu'un. Rappelez-vous qu'il est nécessaire d'exprimer toute la vérité sur ce que vous ressentez actuellement et sur ce que vous ressentiez lors d'événements bouleversants. Raconter l'événement n'est pas suffisant. Il faut PRENDRE CONSCIENCE DU RESSENTI.

Bien qu'il soit essentiel d'admettre notre véritable responsabilité, il faut aussi faire preuve de discernement entre le sentiment de culpabilité et la responsabilité. Nous pouvons avoir une part de responsabilité concernant nos propres conflits, comme dans ceux que nous voyons chez nos enfants, sans être pour autant coupables de quoi que ce soit.

Après avoir reconnu les vrais coupables et les vraies victimes, il est bon de se pardonner ou de pardonner à ceux que l'on tient pour responsables, de façon à lâcher prise sur tout ce poids émotionnel. En restant accrochés à ces vieux souvenirs, à ces vieux ressentis, nous persistons à demeurer dans le mal-être. En nous libérant de ces vieux secrets enfouis qui nous empoisonnent l'existence et celle de nos descendants, nous nous sentons plus légers et nous observons, peu de temps après, les effets bénéfiques sur les autres membres de la famille.

La paix reviendra en vous lorsque vous aurez réussi à dépasser ces événements et ressentis. De là l'importance de trouver des solutions de dépassement.

Solutions de dépassement

*E*n décodage biologique des maladies, j'ai appris que pour guérir comme pour se libérer d'un projet-sens de vie (schéma de vie programmé dès la conception), il faut trouver une *solution de dépassement*. Il peut y avoir plusieurs solutions de dépassement. Seulement, il n'y a que les solutions qui conviennent à votre situation personnelle qui doivent être mises en action. Ces solutions seront parfois concrètes et réelles. Dans certains cas pourtant, elles ne pourront qu'être « symboliques ». Peu importe qu'elle soit réelle ou symbolique, la solution de dépassement se définit ainsi : trouver une fin heureuse à une histoire ou à un schéma désagréable.

Ses enfants symboliques

Une dame dans la cinquantaine vit difficilement le fait qu'elle n'a jamais eu d'enfant. Selon les émotions et ressentis qui l'affectent, elle pourra vivre divers dérèglements physiques. Pour guérir, elle doit non seulement reconnaître et exprimer ses ressentis, mais elle doit aussi trouver une solution de dépassement à cette situation réelle de ne pas avoir d'enfant.

Cette solution pourrait être d'apprécier en toute conscience le fait de pouvoir enseigner à des gens son savoir, ses connaissances ou encore de s'occuper de gens qui ont besoin de l'aide ou du réconfort d'une mère qu'ils n'ont jamais eue ou qu'ils n'ont plus. Elle devra découvrir par elle-même, ou avec l'aide de gens qui l'entourent, qui ont été ses enfants *symboliques* au cours de son existence, et quels sont ceux qui pourraient représenter ses enfants en ce moment.

Encore une pneumonie

Une personne qui est affectée de pneumonies de façon régulière depuis quelques années devra dans un premier temps découvrir quels sont ses ressentis à propos de cette maladie, jusqu'à ce qu'elle reconnaisse l'événement ou les événements où elle a eu peur de mourir, peur de la mort, peur d'être tuée, peur d'avoir tué, peur que meurt un projet ou tout autre ressenti relié à la mort.

La deuxième fois où j'ai fait une pneumonie, j'ai pu découvrir et reconnaître qu'à chaque fois je vivais des événements où mes ressentis étaient: «Je ne suis plus capable de vivre comme ça.» Sachant qu'il me fallait transformer ma façon de penser si je souhaitais guérir rapidement et cesser de faire des pneumonies, j'ai choisi, en toute conscience, de **vivre autrement**. En pratiquant la méthode pour me centrer sur mon cœur, j'ai choisi des actions qui allaient m'amener à vivre autrement les situations financières difficiles, la solitude, les difficultés de la vie professionnelle d'une travailleuse autonome, etc.

Atteinte de sclérose en plaques

Une personne qui est atteinte de sclérose en plaques depuis plusieurs années verra son état s'améliorer lorsqu'elle aura trouvé une solution concrète, qu'elle soit symbolique ou réelle, au traumatisme difficile qui a provoqué cette paralysie de ses mouvements.

Avant d'être atteinte de cette maladie, Mme Unetelle avait un emploi qui demandait une concentration de tous les instants et qui exigeait d'elle souvent de travailler plus de 40 heures par semaine. Aussi, pour aider son conjoint, propriétaire d'une entreprise, elle effectuait les travaux de comptabilité. De plus, elle était membre actif de plusieurs organismes. Malgré tout, elle trouvait le temps de s'occuper de ses enfants et de toutes les tâches ménagères. Pour couronner le tout, elle s'occupait de sa mère vieillissante en faisant les courses pour elle et en l'amenant chez le médecin chaque fois qu'elle en avait besoin. Avec le temps, et avec de nouvelles activités qui s'ajoutaient, elle sentait qu'elle ne pourrait tenir encore longtemps.

Vous remarquerez que cette dame est attirée par des activités où elle se sent utile. En plus, par souci de perfectionnisme, elle a de la difficulté à déléguer ses tâches. Lorsque son corps s'est mis à faire des siennes, et qu'elle a reçu le diagnostic de sclérose en plaques, elle a dû ralentir ses activités et quitter son emploi. Son cerveau a choisi pour elle la meilleure solution pour la libérer de certaines obligations et l'empêcher d'accepter de nouvelles responsabilités.

Il est évident que cette dame demeurera immobilisée encore longtemps si elle n'effectue aucun changement dans son mode de vie, dans sa façon de penser. Son corps refusera de guérir s'il doit reprendre du service avec la même intensité qu'avant ce diagnostic de sclérose en plaques. Dès qu'elle aura pris conscience de ses ressentis et qu'elle sentira son corps se remettre à fonctionner normalement, il lui faudra trouver des solutions convenables pour ne pas **retomber** dans le même schéma qu'auparavant.

Emprise inconsciente de la mère

Dans certains cas, il arrive qu'une guérison, ou un grand changement de mode de vie, survienne sans qu'une personne ait pris conscience de ses ressentis. Elle a trouvé une solution pour améliorer son quotidien sans se rendre compte que cette solution était reliée au conflit (au stress énorme) qui l'avait amenée à être atteinte d'une grave maladie. D'un jour à l'autre, son corps guérit. Elle n'a plus de symptômes, et les médecins n'y comprennent rien. Il s'agit d'une solution pratique où tout s'arrange facilement.

Je connais ainsi deux histoires où des hommes atteints de psoriasis sur les jambes et les pieds ont guéri instantanément à la suite du décès de leur mère. Sans le savoir, ils ne vivaient plus le stress ou le conflit particulier relié à leur mère.

Il y a au moins autant de solutions pour dépasser un conflit que de personnes sur la terre. Il s'agit de trouver celle qui convient le mieux à la situation présente, en gardant en mémoire que la situation présente est reliée à une situation du passé dont on n'est pas responsables la plupart du temps.

Les situations difficiles et les drames subis par nos parents dans la période de conception et de grossesse ont des répercussions autant sur notre santé que sur les difficultés que nous vivons au moment présent. La prise de conscience du ressenti actuel permettra de faire le lien avec le ressenti « du passé » du ou des parents et de faire la découverte du genre de drame ou situation que nos ascendants ont pu connaître pour que nous soyons ainsi affectés dans nos vies. Nous nous promenons avec le bagage de quelqu'un d'autre et il faut nous en défaire. La façon de s'en débarrasser est la solution de dépassement.

Le lâcher prise est une solution de dépassement. Le changement d'attitude, le choix de *voir autrement*, de *vivre autrement*, de *réagir autrement* font partie des solutions de dépassement. Vous seul pourrez trouver la solution de dépassement (la fin heureuse de votre histoire) qui vous conviendra parfaitement dans l'instant. Vous pouvez aussi consulter des gens en qui vous avez confiance, qu'ils soient ou non thérapeutes, pour vous aider à trouver la meilleure solution. Dans ce cas particulier, n'oubliez pas de vérifier à l'intérieur de vous si la ou les solutions suggérées vous conviennent à VOUS.

Histoire de Jean-D.

L'histoire de mon fils m'a particulièrement ouvert les yeux quant à la responsabilité des parents par rapport à leurs émotions et ressentis, en relation avec leurs propres drames ou situations difficiles, et qui ont des répercussions dans la vie de leurs enfants.

Jean-D. lui-même a trouvé cette histoire un peu *tirée par les cheveux*. Il ne croit pas réellement que cela ait pu l'aider à se sortir d'une situation difficile. Par contre, il se rend compte que tout a changé après que je lui ai raconté cette histoire, son histoire. Voilà pourquoi il m'a autorisée à l'utiliser dans mes ateliers et mes conférences.

Jean-D. avait 17 ans lorsqu'il a commencé ses études de niveau collégial. Jusqu'à ce jour, il avait toujours obtenu des résultats scolaires exemplaires. D'ailleurs, tout le monde se demandait comment il faisait pour avoir de tels résultats puisqu'il n'étudiait presque jamais. Dès sa première session de cégep il en a été tout autrement. Il a commencé à cumuler les échecs dans plusieurs matières.

Cette première session a été marquée par le départ de son père pour une autre ville, compte tenu du fait que nous nous sommes séparés au beau milieu de cette session. Je me disais qu'il devait en être affecté, qu'il se reprendrait bientôt et que ses résultats redeviendraient aussi bons qu'avant.

Pourtant, deux ans plus tard, il était toujours au même point. Il en était à sa troisième année d'études collégiales alors qu'il aurait dû terminer en deux ans. Complètement découragé, il ne savait plus quoi faire. Il a consulté un conseiller en orientation profession- nelle qui lui a suggéré de quitter les sciences pures pour recommencer ses études en s'orientant vers les techniques administratives. Cette solution ne lui con- vient pas. Il souhaite terminer ce qu'il a commencé. Seulement, il ne sait plus comment il réussira à aller à l'université un jour.

Il a maintenant dix-neuf ans et demi et deux ans et demi d'études collégiales complétées. Il compte six échecs à reprendre avant de pouvoir entrer à l'univer- sité. Comme il sollicite mon avis, je choisis de lui demander qu'est-ce qui fait que ces matières en parti- culier sont si difficiles pour lui (mathématiques, phy- sique et autres matières du genre). Il répond : « Ce sont les formules qui me rendent fou. Je n'arrive pas à m'en souvenir. Cela me rentre par une oreille et me sort par l'autre. Je ne sais plus quoi faire. »

Les formules mathématiques !!!

Comme c'est alors un enfant qui n'aime pas s'ex- primer, c'est tout ce que j'ai pu en tirer ce jour-là. Je savais que je pouvais l'aider à partir du décodage biologique des maladies mais je savais également qu'il ne voudrait pas collaborer. Je suis donc allée en discuter avec une consœur en qui j'ai particulièrement confiance.

Elle m'a immédiatement rappelé ce concept que je connaissais pourtant : *Les enfants prennent sur eux de vivre sur le plan physique les conflits psychologiques de leurs parents*. Elle me disait que je pouvais trouver moi-même pourquoi, depuis le départ de son père, les formules étaient devenues un tel problème pour Jean-D.

La question à me poser était celle-ci :

« *Qu'est-ce que je ressens par rapport au mot formule ou qu'est-ce que le mot formule me rappelle ?* »

Le premier souvenir qui est remonté à la surface est en rapport avec la préparation de lait Enfalac. Sur ces boîtes de lait on peut lire ceci : Enfalac baby **FORMULA**. Comme je n'arrivais pas à allaiter mon enfant suffisamment, j'ai dû le nourrir avec ce lait. Le rappel de ce souvenir a levé le voile sur celui qui concernait les problèmes scolaires de Jean-D.

Jean-D. est né le 1er mai 1982. Le samedi après-midi suivant, sept jours après l'accouchement, je décide de me reposer un peu pendant que son père choisit de regarder les nouvelles du sport à la télé (à un canal anglophone) avec son petit garçon collé tout contre lui sur son abdomen.

Nous sommes le 8 mai 1982, jour où Gilles Villeneuve se tue pendant les qualifications de **FORMULE 1** (Formula 1). C'est le drame. Le père de mon fils est catastrophé. Son idole se tue sous ses yeux à la télévision. *Son idole trouve la mort en formule 1.* Le père de mon fils vit ce jour-là une grande séparation à cause d'une course de qualifications de formule 1. J'entends le père crier, l'enfant pleurer et je me lève en catastrophe pour aller voir ce qui se passe. Le père serre très fort son bébé dans ses bras en répétant : *Gilles Villeneuve est mort, il s'est tué en formule 1 !*

J'ai pris l'enfant dans mes bras. J'ai moi-même versé quelques larmes en revoyant encore et encore Gilles Villeneuve mourir sous nos yeux.

C'est l'histoire de Jean-D. quand il avait sept jours. Son père a vécu la séparation définitive d'avec son idole. C'est une séparation vécue dans l'isolement, c'est-à-dire que, même si le père versait quelques larmes, il n'a jamais exprimé son ressenti profond devant ce drame qui se déroulait sous ses yeux. *L'enfant a décidé inconsciemment ce jour-là de vivre ce ressenti sur le plan physique.*

Il a fallu qu'il atteigne ses dix-sept ans avant qu'un événement dramatique (séparation d'avec son idole, son père) réanime ce souvenir du passé et enclenche le processus : « **La séparation, c'est dangereux ; la formule, c'est dangereux, c'est la mort..., alors il vaut mieux occulter la formule !** »

Ce soir-là, dès que j'ai pu, j'ai demandé à mon fils de bien vouloir m'écouter quelques minutes pour que je puisse lui raconter cette histoire. Il s'est assis en maugréant et en me demandant de ne pas être trop longue. Dès que j'ai eu fini de lui raconter, il m'a envoyé promener en me disant que cette histoire-là était tirée par les cheveux. Et il s'est enfermé dans sa chambre.

Pourtant, à partir de ce jour-là, il n'a plus eu aucun échec. Il a pu terminer ses études collégiales en trois ans et une session d'été, ce qui lui a permis d'entrer directement à l'université après trois ans de cégep. Au moment d'écrire ces lignes, il vient tout juste de terminer ses études universitaires, qui se sont fort bien déroulées.

Ce grave conflit de séparation imprimé en lui depuis l'enfance l'avait affecté de différentes façons. Même s'il était âgé de près de vingt ans, il était encore affligé d'une acné plutôt tenace sur son visage. Il avait également une petite amie avec qui il projetait d'emménager pour poursuivre leurs études dans la région de Sherbrooke.

Quand je lui ai raconté l'histoire de ses sept jours, non seulement cela a réglé le problème des échecs scolaires, mais il a guéri de son acné en quelques mois sans rien faire de particulier. De jeune homme chétif, il est tout à coup devenu un homme plus sûr de lui. Il a changé sa coiffure, ses verres correcteurs pour des verres de contact, et il a finalement choisi de se *séparer* de sa petite amie et de déménager dans la région de Montréal pour ses études universitaires et ainsi se rapprocher de son père.

Dans la réalité, cette histoire recelait un grave conflit de séparation qui ne lui appartenait pas et qui lui rendait la vie difficile à bien des points de vue.

Merci, Jean-D., de m'avoir appris tout cela. Je suis certaine que plusieurs lecteurs en tireront grand profit.

Histoire de Marie-*Elle*

*V*oici une partie des situations conflictuelles qui programmaient ma fille à être affectée par la sclérose en plaques. Certaines informations ne sont pas disponibles puisque les événements impliquent plusieurs personnes et que leur histoire leur appartient.

Peu importe notre rang dans la généalogie, si nous reconnaissons être reliés au conflit d'un ascendant biologique, nous pouvons intervenir. Le plus important est d'apprendre à reconnaître la vérité à propos de NOS ressentis par rapport à l'histoire.

Les programmes se créent ou s'effacent à partir du ou des mêmes ressentis.

Vous trouverez d'ailleurs une façon d'illustrer mes propos dans le tableau de la page suivante qui concerne certaines femmes de ma famille.

MÈRES	FILLES
Mère de *Elle* et de *Suzanne*	**Ma sœur que nous nommerons *Elle***
Notre mère a conçu *Elle* à l'âge de 26 ou 27 ans. Le deuxième prénom de ma mère est **SUZANNE**	*Elle* a reçu le diagnostic de sclérose en plaques vers l'âge de 26-27 ans
Mère de Marie-*Elle*	**Ma fille Marie-*Elle***
J'ai conçu Marie-*Elle* à l'âge de 26 à 27 ans. Mon prénom est **SUZANNE**	Le deuxième prénom de Marie-*Elle* est **SUZANNE**

1. Nous pouvons supposer que ma sœur *Elle* a vécu sur le plan physique un conflit psychologique lui-même vécu par nos parents ou un de nos parents. C'est un des principes du décodage biologique des maladies : *L'enfant prend sur lui de vivre sur le plan physique les conflits psychologiques d'un ou des parents, et ce, dès la conception.*

2. Le choix des prénoms, bien qu'inconscient, relie entre elles quatre personnes qui se retrouvent associées dans le même conflit (les situations peuvent être différentes mais la tonalité des émotions et ressentis demeure la même).

   • Les conflits de Suzanne sont reliés aux conflits de sa mère, aussi prénommée Suzanne en deuxième prénom.

   • Les conflits de **Marie**-*Elle* (aussi appelée Suzanne en deuxième prénom) sont reliés à sa mère, nommée Suzanne, à sa grand-mère autant par le prénom **Marie** (Marie est notre mère symbolique à tous) que le **deuxième prénom** qu'elle porte, soit **Suzanne**. Elle est aussi reliée aux conflits de sa **tante** *Elle*, par la deuxième partie de son prénom.

• Que serait-il donc arrivé à MARIE-*ELLE* à l'âge de 26-27 ans ? La sclérose en plaques.

Heureusement, j'ai compris que des conflits me reliaient à ma mère et qu'ils pouvaient aussi être reliés à la sclérose en plaques. J'ai choisi de livrer mes secrets à ma fille pour qu'elle puisse se libérer de cette programmation (elle avait 17 ans à l'époque). Je savais qu'en faisant cela, je libérais non seulement ma fille mais également ma mère, ma sœur et moi-même.

La sclérose en plaques est reliée à plusieurs conflits. Selon le résultat des recherches effectuées en biologie totale des êtres vivants, on retrouve ceux-ci : vouloir retenir ou fixer l'autre au foyer, chute verticale ou autre conflit impliquant la verticalité ainsi que la dévalorisation. Sans connaître les conflits vécus par mes parents, j'ai essayé de reconnaître dans les conflits vécus au cours de ma grossesse ceux qui pouvaient être associés aux conflits de la sclérose en plaques. Il est important de retenir que tout conflit est vécu **intérieurement**. Il s'agit d'émotions, de ressentis et d'inquiétude non exprimés, vécus dans l'isolement (à l'intérieur de nous-mêmes).

C'est ainsi que j'ai raconté à ma fille qu'avant sa conception, au moment de sa conception, et pendant que je la portais, je ne souhaitais pas avoir d'autres enfants. Je ne la désirais pas. Je savais que j'avais conçu cet enfant en espérant **retenir l'autre** (son père) plus souvent à la maison car il était souvent absent. Aussi, je vivais de l'inquiétude. J'avais toujours peur qu'il me quitte. Il l'avait déjà fait avant que nous ayons les enfants. J'espérais le **fixer au foyer** en ayant cet enfant puisque c'est lui qui avait choisi d'avoir un deuxième enfant. Je l'avais fait pour lui faire plaisir à cause de ma peur qu'il me **laisse tomber** (chute verticale ou conflit de verticalité), tout comme j'avais peur de ne pas être à la hauteur en tant que femme et épouse **(dévalorisation)**.

Cette histoire toute simple où **j'exprimais** mes **ressentis** a été suffisante pour effacer le processus qui aurait pu s'amorcer. Quand j'ai exprimé tout cela à Marie-*Elle*, elle en a été très heureuse car elle m'a avoué avoir toujours eu peur de **tomber malade** comme sa tante *Elle*. Contrairement à ce qu'on pourrait croire, elle n'a été aucunement choquée d'entendre cette histoire. Sur son visage je pouvais voir tout le soulagement intérieur qui s'exprimait. Ma fille m'a serrée très fort dans ses bras et m'a remerciée de lui avoir accordé autant de confiance.

Lorsque, quelque six mois plus tard, ma sœur est venue me dire que, bizarrement, depuis près de six mois elle n'avait plus aucun symptôme, et qu'elle avait de la difficulté à y croire, je n'ai pu que me réjouir: MISSION ACCOMPLIE! Finie la sclérose en plaques! Merci à la vie et merci à la découverte du décodage biologique des maladies!

Note: *Elle* a subi des examens médicaux environ deux ans plus tard et les spécialistes (neurologues) n'ont pu retrouver aucune trace de sclérose en plaques ni de plaques. À ce jour, près de quatre années se sont écoulées depuis la disparition des symptômes.

Livrer la marchandise

*C*haque jour, chaque instant, nous pouvons amé-liorer notre quotidien. Il n'en tient qu'à nous d'y croire. Nous pouvons aussi continuer de penser que nous n'avons pas le choix, ou que nous étions prédes-tinés à vivre la maladie, la misère ou le désespoir.

Parmi ces options, je choisis quant à moi de croire que j'ai une part de responsabilité dans ce qui m'arrive, et que j'ai non seulement le pouvoir d'apporter des changements à mon existence, mais aussi le devoir d'en expérimenter toutes les possibilités afin d'accéder au bien-être auquel j'ai droit et, par le fait même, d'en faire bénéficier le plus grand nombre de gens possible.

Tout ce qui a été écrit dans ce livre a déjà été traité de différentes manières. Parfois de façon plus scienti-fique, plus théorique et soutenue par des résultats de recherches et d'études faites depuis de longues années. Sans rien inventer de nouveau, j'ai surtout voulu apporter un point de vue simplifié et une image, des sons et des couleurs différentes.

L'un des principaux buts de ce livre est d'ouvrir le cœur des gens. Pour cela, je vous ai transmis cette belle connaissance de la méthode pour se centrer sur son cœur. Tout part de là. Vous pouvez choisir de l'utiliser ou d'utiliser une tout autre méthode déjà apprise et que vous n'utilisez probablement pas assez fréquemment. Peu importe la méthode que vous choisirez pour atteindre votre centre intérieur et pour y puiser vos réponses et solutions, il vous faudra pratiquer de façon régulière si vous souhaitez parvenir à vérifier toutes les possibilités que vos connaissances intérieures vous offrent.

J'ose répéter que, sans la pratique régulière, il est difficile d'atteindre un niveau de maîtrise intéressant. Imaginez que vous commenciez à suivre des leçons de piano. Il est fort probable que vous ne puissiez donner un concert avant plusieurs mois, voire quelques années.

Un autre des buts visés parmi les connaissances que j'ai partagées avec vous est la PRISE DE CONSCIENCE. La prise de conscience de chaque instant. Chaque instant est précieux et souvent nous ne lui accordons pas l'importance qu'il mérite. C'est ainsi que nous refoulons émotions et ressentis sans les exprimer et que nous laissons s'imprimer en nous différentes programmations de maladies et de comportements (schémas).

Aussi, combien de fois ai-je eu des idées extraordinaires que je n'ai pas osé mettre en action concrètement, parce que je ne saisissais pas l'instant qui passait. Quelques mois plus tard, je me rendais compte que quelqu'un d'autre l'avait fait à ma place, et qu'il réussissait très bien. C'est donc dire que mes idées et projets sont aussi excellents que ceux des autres.

Ce livre est d'ailleurs la concrétisation du projet que je caresse depuis longtemps de partager avec le plus de gens possible les découvertes que j'ai faites au cours de différentes expérimentations sur la vie au quotidien. Depuis plus de vingt ans, j'accumule formations, lectures et expériences de vie dans ce but; maintenant je le sais.

J'AI LIVRÉ LA MARCHANDISE! (Clin d'œil à Jany, cette amie extraordinaire qui fait partie de ma vie depuis toujours, même si nous nous sommes rencontrées seulement il y a quelques années).

À ce jour, j'ignore si le livre sera bien reçu par les lecteurs et en librairie. Évidemment, c'est ce que je souhaite. Pourtant, je me suis finalement résolue à le terminer après l'avoir recommencé trois fois, à cause de cette partie du livre où j'ai exploré ce sujet crucial : SANS ATTENTE DE RÉSULTAT PRÉCIS!

Comme l'INTENTION PROFONDE est de rejoindre un grand nombre de gens pour les inciter à ouvrir leur cœur, à devenir des participants actifs de leur quotidien, et à faire partie intégrante de leur propre vie en tant qu'acteurs et non en tant que spectateurs, peu importe de quelle façon ce livre pourra le faire, je sais que cela se fera d'une façon ou d'une autre.

Livrez la marchandise! Je vous invite à livrer votre marchandise aussi souvent que vous le pouvez. C'est-à-dire, quand vous vient une idée de projet qui vous passionne, une intuition qui vous fait vibrer et qui vous incite à aller de l'avant, même si les autres ne semblent pas croire en vous, même si vous croyez plus ou moins en vous vous-même, mettez-la en œuvre. Allez dans votre cœur, faites tomber vos peurs et vos barrières, déterminez les actions qui conviennent, et avancez vers votre but. Ce sera parfois lentement, parfois en courant, mais de grâce avancez!

Aussi, ne gardez pas pour vous seul toutes ces craintes et ces peurs qui vous étouffent quand vous trouvez que vos projets ne progressent pas comme vous le souhaitez. Échangez avec une personne en qui vous avez confiance. Écoutez avec votre cœur les gens discuter entre eux de leurs propres projets, des difficultés qu'ils éprouvent et des solutions de dépassement qu'ils ont trouvées pour eux.

C'est ainsi que, récemment, en discutant avec cette grande amie que j'ai mentionnée précédemment, j'ai découvert que j'avais de la difficulté à *livrer la marchandise*. Malgré toute ma bonne volonté et ma grande détermination, il m'arrive d'avoir de la difficulté à mener un projet à terme à cause de certaines peurs, certaines fausses croyances reliées à mes ascendants biologiques. Nous avions discuté ce jour-là du film *Seul au monde*[1] dont l'acteur principal est Tom Hanks.

Dans ce film, Jany y avait trouvé comme inspiration qu'il fallait avoir une confiance inconditionnelle en la vie pour atteindre ses buts. Elle concevait la présence de Wilson (le ballon) comme étant la personne qui représente l'ami ou les personnes dont on a besoin, les personnes qui nous encouragent à continuer malgré

---

1. Version française du film *Cast away*, 2000, réalisé par Robert Zemeckis.

tout. Elle voyait en lui ceux et celles qui nous aident à tenir bon malgré la tempête. J'ai trouvé cela très intéressant et, de mon côté, je me suis souvenue que lorsque j'ai regardé ce film j'avais réalisé ceci : *Il a livré la marchandise*. Il y avait ce paquet qu'il avait réussi à conserver en bon état pour en faire la livraison (c'était son travail) lorsqu'il réussirait à sortir de là.

Quand il y est arrivé, grâce à sa détermination de vivre et à l'esprit d'équipe qu'il formait avec *Wilson*, il est allé livrer le colis. Livrer la marchandise était une de ses raisons de vivre, tout comme la réalisation de nos rêves et projets est une de nos raisons d'apprécier la vie. Alors, livrons notre marchandise et réalisons nos rêves pour nous assurer une vie saine et remplie de joie.

L'intention profonde de cet homme était de survivre et de livrer sa marchandise. À chaque instant de sa vie sur cette île déserte, malgré ses peurs et les barrières qu'il affrontait, il posait des actions qui étaient toujours orientées dans ce sens. Il a bien vécu quelques instants de découragement mais, même dans ces instants-là, la vie mettait sur son chemin de nouveaux outils de travail, de nouveaux moyens pour y arriver.

Comme vous avez pu le constater, ce livre n'est pas dédié seulement à vaincre la maladie. Toutes les connaissances transmises dans ce livre vous serviront à chaque instant du quotidien, que vous soyez malade, bloqué dans une des étapes de changement ou de réalisation de projet, ou tout simplement en suscitant un questionnement.

Prenez conscience que vous pouvez retracer à partir de votre présent ce qui, de votre passé et du passé de vos ascendants biologiques, vous nuit dans votre quotidien, et prendre les mesures nécessaires pour vous libérer de tout ce qui vous est nocif et non bénéfique grâce à des actions appropriées.

Allez chercher à l'intérieur de vous les ressentis éprouvés au cours des différents événements et situations difficiles et désagréables que vous avez vécus dans l'isolement. Notez que vous ne trouverez aucun ressenti dans votre tête. Comme l'intellect sert à analyser, à découvrir des solutions pratiques relativement à ce qui se trouve dans la banque de données, si vous croyez y déceler des émotions et des ressentis, ce serait comme si vous demandiez à votre ordinateur ce qu'il ressent par rapport à tel événement ou à telle personne.

Vérifiez quelles sont vos fausses croyances – tous ces schémas de vie qui sont reliés à vos ascendants – , pour vous en défaire le plus rapidement possible et vous donner ainsi la liberté de vivre votre propre vie, et non de reproduire celle de vos parents, de vos grands-parents, etc. Vous deviendrez ainsi de plus en plus léger, délesté de fardeaux et bagages qui ne vous appartiennent même pas. Il vous faudra lâcher prise sur tout cela.

Rappelez-vous également que les malaises et les maladies sont reliés à des ressentis et des émotions que vous n'avez pas su ou pas pu exprimer. Prenez-en conscience et reconnaissez ces ressentis. Ressentez au plus profond de vous de quelle façon vous en avez été affecté, et vous aurez la surprise de vous libérer de bien des maux et des malaises.

Pour ceux qui voudront avoir des clés précises, c'est-à-dire connaître les invariants biologiques reliés à chaque maladie ou partie du corps, vous trouverez en librairie plusieurs livres traitant de ce sujet. Un invariant biologique correspond à un ressenti émotionnel de base, invariablement identique pour le déclenchement d'une même maladie. Prenons pour exemple l'affection pulmonaire dont l'invariant biologique de base correspond à un ressenti relié à la mort : peur de la mort, peur d'être tué, peur d'avoir tué, peur de voir mourir, etc.

J'ai choisi pour ma part de vous aider à vous y retrouver sans vous faire connaître ces invariants biologiques de façon à vous permettre une vision élargie et vous éviter de vous limiter à un énoncé qui, parfois, même s'il est vrai et vérifiable, peut vous bloquer au lieu de vous aider. J'ai pu vérifier à plusieurs reprises que les gens à qui je ne donnais pas de piste précise (invariants biologiques) concernant les causes émotionnelles de leur maladie arrivaient plus rapidement à ressentir l'émotion qui les avait amenés à cette maladie.

J'ai vu trop de gens chercher « à la loupe » d'où provenait un conflit particulier (exemples : conflit d'identité, conflit de peur de la mort, etc.), alors que c'était tellement évident qu'ils ne le voyaient même pas. Par contre, d'autres, ne sachant aucunement quel était leur conflit, se sont exprimés sur les facteurs de stress affectant leur vie **au moment présent** et l'ont trouvé en quelques instants.

Finalement, ce n'est pas la théorie qui nous permet de vivre mieux et plus heureux mais plutôt la pratique et l'intégration par l'expérimentation de toute théorie et connaissance acquise.

Je vous invite à vivre chaque instant de votre vie en étant présent en tout temps, et à ainsi vous libérer de vos schémas désagréables et de vos maladies. Je vous incite également à contacter de plus en plus souvent cet espace magique situé à l'intérieur de vous-même, où vous trouverez l'amour que vous cherchiez depuis si longtemps.

« Quand j'ouvre les portes de mon cœur et que je regarde les situations difficiles ou les gens avec des yeux d'amour, la vie devient simple et je retrouve la paix et la sérénité en un instant. »

SUZANNE COUTURE

À propos de l'auteure

Originaire de Granby en Estrie, Suzanne Couture réside à Stoke depuis 2003. En 1996, dans sa quête personnelle d'une vie plus agréable et épanouissante, elle quitte l'emploi qu'elle occupe depuis vingt ans pour explorer divers aspects de la médecine parallèle. Elle devient praticienne et enseignante de reiki pour ensuite poursuivre sa route vers l'Institut québécois de réflexologie intégrale où elle obtient son diplôme de praticienne au printemps 2000.

À la même époque, elle entreprend sa formation en biologie totale des êtres vivants et en décodage biologique des maladies avec M. Bertrand Lemieux et, par la suite, avec le Dr Gérard Athias. À partir des apprentissages cumulés par toutes les formations auxquelles elle a assisté depuis vingt-cinq ans, elle intègre ces notions dans son quotidien et découvre avec plaisir des façons simples pour améliorer son existence et se simplifier la vie. C'est ainsi que, depuis l'été 2002, elle parcourt plusieurs régions du Québec pour animer des conférences et des ateliers et partager le fruit de ses découvertes.

Coordonnées de l'auteure

L'auteure anime les conférences et les ateliers *Les maux pour le dire* dans plusieurs régions du Québec. Dès l'automne 2005, elle présentera également de nouvelles conférences ayant pour thème *l'inconditionnel présent*. Elle est également disponible pour des séances individuelles de décodage des maux et de réflexologie intégrale.

Pour entrer en contact avec elle :

Suzanne Couture
Adresse postale : 173, rang 4 Ouest, Stoke (Québec)
J0B 3G0
Courriel : *suzanne_couture@videotron.ca*
www.suzannecouture.com
Téléphone : (819) 878-3991

CHEZ LE MÊME ÉDITEUR :

Liste des livres :

52 façons de développer son estime personnelle et sa confiance en soi, *Catherine E. Rollins*
52 façons simples de dire « Je t'aime » à votre enfant, *Jan Lynette Dargatz*
1001 maximes de motivation, *Sang H. Kim*
Abracadabra, comment se transformer en un bon gestionnaire et un grand leader, *Diane Desaulniers*
Accomplissez des miracles, *Napoleon Hill*
Agenda du Succès *(formats courant et de poche), éditions Un monde différent*
Aidez les gens à devenir meilleurs, *Alan Loy McGinnis*
À la recherche d'un équilibre : une stratégie antistress, *Lise Langevin Hogue*
Amazon.com, *Robert Spector*
Ange de l'espoir (L'), *Og Mandino*
Anticipation créatrice (L'), *Anne C. Guillemette*
À propos de..., *Manuel Hurtubise*
Apprivoiser ses peurs, *Agathe Bernier*
Ascension de l'âme, mon expérience de l'éveil spirituel (L'), *Marc Fisher*
Athlète de la Vie, *Thierry Schneider*
Attitude 101, *John C. Maxwell*
Attitude d'un gagnant, *Denis Waitley*
Attitude gagnante : la clef de votre réussite personnelle (Une), *John C. Maxwell*
Attitudes pour être heureux, *Robert H. Schuller*
Bien vivre sa retraite, *Jean-Luc Falardeau et Denise Badeau*
Bonheur et autres mystères, suivi de La Naissance du Millionnaire (Le), *Marc Fisher*
Bonheur s'offre à vous : Cultivez-le ! (Le), *Masami Saionji*
Cancer des ovaires (Le), *Diane Sims*
Ces forces en soi, *Barbara Berger*
Chaman au bureau (Un), *Richard Whiteley*
Changez de cap, c'est l'heure du commerce électronique, *Janusz Szajna*
Chanteur de l'eau (Le), *Marilou Brousseau*
Chemin de la vraie fortune (Le), *Guy Finley*
Chemins de la liberté (Les), *Hervé Blondon*
Chemins du cœur (Les), *Hervé Blondon*
Choix (Le), *Og Mandino*
Cinquième Saison (La), *Marc André Morel*
Cœur à Cœur, l'audace de Vivre Grand, *Thierry Schneider*
Cœur plein d'espoir (Le), *Rich DeVos*
Comment réussir l'empowerment dans votre organisation ? *John P. Carlos, Alan Randolph et Ken Blanchard*
Comment se fixer des buts et les atteindre, *Jack E. Addington*
Communiquer : Un art qui s'apprend, *Lise Langevin Hogue*
Communiquer en public : Un défi passionnant, *Patrick Leroux*
Contes du cœur et de la raison (Les), *Patrice Nadeau*

Magie de penser succès (La), *David J. Schwartz*
Magie de voir grand (La), *David J. Schwartz*
Maigrir par autosuggestion, *Brigitte Thériault*
Mémorandum de Dieu (Le), *Og Mandino*
Menez la parade! *John Haggai*
Pensez en gagnant! *Walter Doyle Staples*
Performance maximum, *Zig Ziglar*
Plus grand vendeur du monde (Le), (2 parties) *Og Mandino*
Pouvoir de l'optimisme (Le), *Alan Loy McGinnis*
Psychocybernétique (La), *Maxwell Maltz*
Puissance de votre subconscient (La), (2 parties) *Joseph Murphy*
Réfléchissez et devenez riche, *Napoleon Hill*
Rendez-vous au sommet, *Zig Ziglar*
Réussir grâce à la confiance en soi, *Beverly Nadler*
Secret de la vie plus facile (Le), *Brigitte Thériault*
Secrets pour conclure la vente (Les), *Zig Ziglar*
Se guérir soi-même, *Brigitte Thériault*
Sept Lois spirituelles du succès (Les), *Deepak Chopra*
Votre plus grand pouvoir, *J. Martin Kohe*

Liste des disques compacts:

Conversations avec Dieu, *Neale Donald Walsch*
Créez l'abondance, *Deepak Chopra*
Dix commandements pour une vie meilleure, (disque compact double) *Og Mandino*
Lâchez prise! (disque compact double) *Guy Finley*
Mémorandum de Dieu (Le), (deux versions: Roland Chenail et Pierre Chagnon), *Og Mandino*
Père riche, père pauvre, (disque compact double) *Robert T. Kiyosaki et Sharon L. Lechter*
Quatre accords toltèques (Les) (disque compact double), *Don Miguel Ruiz*
Sept lois spirituelles du succès (Les) (disque compact double), *Deepak Chopra*

En vente chez votre libraire ou à la maison d'édition
Prix sujets à changement sans préavis

Si vous désirez obtenir le catalogue de nos parutions,
il vous suffit de nous écrire à l'adresse suivante:
Les éditions Un monde différent ltée
3905, Rue Isabelle, Bureau 101
Brossard (Québec), Canada
J4Y 2R2
ou de composer le (450) 656-2660 ou le téléco. (450) 659-9328
Site Internet: http://www.umd.ca
Courriel: info@umd.ca